COTTA'S BIBLIOTHEK DER MODERNE
20

STEFAN GEORGE
GEDICHTE

**Auswahl und Nachwort
von Ernst Klett
Cotta's Bibliothek
der Moderne**

Karlhans Klemcker,
Bonn 1983

6

Über alle Rechte verfügt die Verlagsgemeinschaft
Ernst Klett—J. G. Cotta'sche Buchhandlung
Nachfolger GmbH, Stuttgart
© Ernst Klett, Stuttgart 1983
Die Texte dieser Auswahl sind der zweibändigen Ausgabe
von Stefan Georges Werken, 4. Auflage,
Klett-Cotta 1983, entnommen.
Fotomechanische Wiedergabe
nur mit Genehmigung des Verlages
Printed in Germany 1983
Satz: Steffen Hahn, Kornwestheim
Druck: Wilhelm Röck, Weinsberg
Bindung: Lachenmaier, Reutlingen

CIP-Kurztitelaufnahme der Deutschen Bibliothek
George, Stefan:
Gedichte / Stefan George.
Ausw. u. Nachw. von Ernst Klett.
Stuttgart: Klett-Cotta, 1983.
(Cotta's Bibliothek der Moderne; 20)
NE: GT
ISBN 3-608-95227-6

IM PARK

Rubinen perlen schmücken die fontänen ·
Zu boden streut sie fürstlich jeder strahl ·
In eines teppichs seidengrünen strähnen

Verbirgt sich ihre unbegrenzte zahl.
Der dichter dem die vögel angstlos nahen
Träumt einsam in dem weiten schattensaal..

Die jenen wonnetag erwachen sahen
Empfinden heiss von weichem klang berauscht ·
Es schmachtet leib und leib sich zu umfahen.

Der dichter auch der töne lockung lauscht.
Doch heut darf ihre weise nicht ihn rühren
Weil er mit seinen geistern rede tauscht:

Er hat den griffel der sich sträubt zu führen.

VERWANDLUNGEN

Abendlich auf schattenbegleiteten wegen
Über brücken den türmen und mauern entgegen
Wenn leise klänge sich regen:

Auf einem goldenen wagen
Wo perlgraue flügel dich tragen
Und lindenbüsche dich fächeln
Herniedertauche
Mit mildem lächeln
Und linderndem hauche!

Unter den masten auf rüstig furchendem kiele
Über der wasser und strahlen schimmerndem spiele
In glücklicher ferne vom ziele:

Auf einem silbernen wagen
Wo lichtgrüne spiegel dich tragen
Und schaumgewinde dich fächeln
Herniedertauche
Mit frohem lächeln
Und kosendem hauche!

Lang ist nach jauchzendem tode die sonne
                                    verschollen ·
Mit den planken die brausenden wogen grollen
Und dumpfe gewitter rollen:

Auf einem stählernen wagen
Wo lavaschollen dich tragen
Und grell lohe wolken dich fächeln
Hernniedertauche
Mit wildem lächeln
Und sengendem hauche!

Mühle lass die arme still
Da die heide ruhen will.
Teiche auf den tauwind harren ·
Ihrer pflegen lichte lanzen
Und die kleinen bäume starren
Wie getünchte ginsterpflanzen.

Weisse kinder schleifen leis
Überm see auf blindem eis
Nach dem segentag · sie kehren
Heim zum dorf in stillgebeten ·
DIE beim fernen gott der lehren ·
DIE schon bei dem naherflehten.

Kam ein pfiff am grund entlang?
Alle lampen flackern bang.
War es nicht als ob es riefe?
Es empfingen ihre bräute
Schwarze knaben aus der tiefe …
Glocke läute glocke läute!

8

Mein garten bedarf nicht luft und nicht wärme ·
Der garten den ich mir selber erbaut
Und seiner vögel leblose schwärme
Haben noch nie einen frühling geschaut.

Von kohle die stämme · von kohle die äste
Und düstere felder am düsteren rain ·
Der früchte nimmer gebrochene läste
Glänzen wie lava im pinien-hain.

Ein grauer schein aus verborgener höhle
Verrät nicht wann morgen wann abend naht
Und staubige dünste der mandel-öle
Schweben auf beeten und anger und saat.

Wie zeug ich dich aber im heiligtume
– So fragt ich wenn ich es sinnend durchmass
In kühnen gespinsten der sorge vergass –
Dunkle grosse schwarze blume?

Da auf dem seidenen lager
Neidisch der schlummer mich mied
So bringt keine wundersager
So will ich kein lullendes lied
Der mädchen attischer lande
Was mir vor monden gefiel.
Nun schlingt mich in eure bande
Flötenspieler vom Nil.

Ich lag in äthergezelten
Ich ass von himmlischem brot ·
Ihr sanget die flucht aus den welten
Ihr sanget vom glorreichen tod
Bevor die brennenden lider
Endlicher schlummer befiel.
Entrückt und tötet mich wieder
Flötenspieler vom Nil.

DER TAG DES HIRTEN

Die herden trabten aus den winterlagern.
Ihr junger hüter zog nach langer frist
Die ebne wieder die der fluss erleuchtet ·
Die froh-erwachten äcker grüssten frisch ·
Ihm riefen singende gelände zu ·
Er aber lächelte für sich und ging
Voll neuer ahnung auf den frühlingswegen.
Er übersprang mit seinem stab die furt
Und hielt am andern ufer wo das gold
Von leiser flut aus dem geröll gespült
Ihn freute · und die bunten vielgestalten
Und zarten muscheln deuteten ihm glück.
Er hörte nicht mehr seiner lämmer blöken
Und wanderte zum wald zur kühlen schlucht ·
Da stürzen steile bäche zwischen felsen
Auf denen moose tropfen und entblösst
Der buchen schwarze wurzeln sich verästen.
Im schweigen und erschauern dichter wipfel
Entschlief er während hoch die sonne stand
Und in den wassern schnellten silberschuppen.
Er klomm erwacht zu berges haupt und kam
Zur feier bei des lichtes weiterzug ·
Er krönte betend sich mit heilgem laub
Und in die lind bewegten lauen schatten
Schon dunkler wolken drang sein lautes lied.

DER HERR DER INSEL

Die fischer überliefern dass im süden
Auf einer insel reich an zimmt und öl
Und edlen steinen die im sande glitzern
Ein vogel war der wenn am boden fussend
Mit seinem schnabel hoher stämme krone
Zerpflücken konnte · wenn er seine flügel
Gefärbt wie mit dem saft der Tyrer-schnecke
Zu schwerem niedrem flug erhoben: habe
Er einer dunklen wolke gleichgesehn.
Des tages sei er im gehölz verschwunden ·
Des abends aber an den strand gekommen ·
Im kühlen windeshauch von salz und tang
Die süsse stimme hebend dass delfine
Die freunde des gesanges näher schwammen
Im meer voll goldner federn goldner funken.
So habe er seit urbeginn gelebt ·
Gescheiterte nur hätten ihn erblickt.
Denn als zum erstenmal die weissen segel
Der menschen sich mit günstigem geleit
Dem eiland zugedreht sei er zum hügel
Die ganze teure stätte zu beschaun gestiegen ·
Verbreitet habe er die grossen schwingen
Verscheidend in gedämpften schmerzeslauten.

DER AUSZUG DER ERSTLINGE

Uns traf das los: wir müssen schon ein neues heim
In fremdem feld uns suchen die wir kinder sind.
Ein efeuzweig vom feste steckt uns noch im haar ·
Die mutter hat uns auf der schwelle lang geküsst ·
Sie seufzte leis und unsre väter gingen mit
Geschlossnen munds bis an die marken · hingen dann
Zur trennung uns die feingeschnizten tafeln um
Aus tannenholz – wir werfen etliche davon
Wenn einer aus den lieben brüdern stirbt ins grab.
Wir schieden leicht · nicht eines hat von uns geweint ·
Denn was wir tun gereicht den unsrigen zum heil.
Wir wandten nur ein einzigmal den blick zurück
Und in das blau der fernen traten wir getrost.
Wir ziehen gern: ein schönes ziel ist uns gewiss
Wir ziehen froh: die götter ebnen uns die bahn.

ERINNA

Sie sagen dass bei meinem sang die blätter
Und die gestirne beben vor entzücken ·
Dass die behenden wellen lauschend säumen ·
Ja dass sich menschen trösten und versöhnen.
Erinna weiss es nicht · sie fühlt es nicht.
Sie steht allein am meere stumm und denkt:
So war Eurialus beim rossetummeln
So kam Eurialus geschmückt vom mahle –
Wie mag er sein bei meinem neuen liede?
Wie ist Eurialus vorm blick der liebe?

DER EINSIEDEL

Ins offne fenster nickten die hollunder
Die ersten reben standen in der bluht ·
Da kam mein sohn zurück vom land der wunder ·
Da hat mein sohn an meiner brust geruht.

Ich liess mir allen seinen kummer beichten ·
Gekränkten stolz auf seinem erden-ziehn –
Ich hätte ihm so gerne meinen leichten
Und sichern frieden hier bei mir verliehn.

Doch anders fügten es der himmel sorgen –
Sie nahmen nicht mein reiches lösegeld…
Er ging an einem jungen ruhmes-morgen ·
Ich sah nur fern noch seinen schild im feld.

Sieh mein kind ich gehe.
Denn du darfst nicht kennen
Nicht einmal durch nennen
Menschen müh und wehe.

Mir ist um dich bange.
Sieh mein kind ich gehe
Dass auf deiner wange
Nicht der duft verwehe.

Würde dich belehren ·
Müsste dich versehren
Und das macht mir wehe.
Sieh mein kind ich gehe.

Ist es neu dir was vermocht
Dass dein puls geschwinder pocht?
Warte nur noch diese tage ·
Sie entscheiden
Ob du leiden
Oder ob du glück erwirbst.
Ach du weisst dass du nicht stirbst
Ruft es wiederum: entsage!
Warte nur noch diese tage
Sie entscheiden
Ob du leiden
Oder ob du glück erwirbst.

Meine weissen ara haben safrangelbe kronen
Hinterm gitter wo sie wohnen
Nicken sie in schlanken ringen
Ohne ruf ohne sang ·
Schlummern lang ·
Breiten niemals ihre schwingen –
Meine weissen ara träumen
Von den fernen dattelbäumen.

Das schöne beet betracht ich mir im harren ·
Es ist umzäunt mit purpurn-schwarzem dorne
Drin ragen kelche mit geflecktem sporne
Und sammtgefiederte geneigte farren
Und flockenbüschel wassergrün und rund
Und in der mitte glocken weiss und mild –
Von einem odem ist ihr feuchter mund
Wie süsse frucht vom himmlischen gefild.

Sprich nicht immer
Von dem laub ·
Windes raub ·
Vom zerschellen
Reifer quitten ·
Von den tritten
Der vernichter
Spät im jahr ·
Von dem zittern
Der libellen
In gewittern
Und der lichter
Deren flimmer
Wandelbar.

STIMMEN IM STROM

Liebende klagende zagende wesen
Nehmt eure zuflucht in unser bereich ·
Werdet geniessen und werdet genesen ·
Arme und worte umwinden euch weich.

Leiber wie muscheln · korallene lippen
Schwimmen und tönen in schwankem palast ·
Haare verschlungen in ästige klippen
Nahend und wieder vom strudel erfasst.

Bläuliche lampen die halb nur erhellen ·
Schwebende säulen auf kreisendem schuh –
Geigend erzitternde ziehende wellen
Schaukeln in selig beschauliche ruh.

Müdet euch aber das sinnen das singen ·
Fliessender freuden bedächtiger lauf ·
Trifft euch ein kuss: und ihr löst euch in ringen
Gleitet als wogen hinab und hinauf.

Komm in den totgesagten park und schau:
Der schimmer ferner lächelnder gestade ·
Der reinen wolken unverhofftes blau
Erhellt die weiher und die bunten pfade.

Dort nimm das tiefe gelb · das weiche grau
Von birken und von buchs · der wind ist lau ·
Die späten rosen welkten noch nicht ganz ·
Erlese küsse sie und flicht den kranz ·

Vergiss auch diese lezten astern nicht ·
Den purpur um die ranken wilder reben ·
Und auch was übrig blieb von grünem leben
Verwinde leicht im herbstlichen gesicht.

Wir schreiten auf und ab im reichen flitter
Des buchenganges beinah bis zum tore
Und sehen aussen in dem feld vom gitter
Den mandelbaum zum zweitenmal im flore.

Wir suchen nach den schattenfreien bänken
Dort wo uns niemals fremde stimmen scheuchten ·
In träumen unsre arme sich verschränken ·
Wir laben uns am langen milden leuchten

Wir fühlen dankbar wie zu leisem brausen
Von wipfeln strahlenspuren auf uns tropfen
Und blicken nur und horchen wenn in pausen
Die reifen früchte an den boden klopfen.

Die blume die ich mir am fenster hege
Verwahrt vorm froste in der grauen scherbe
Betrübt mich nur trotz meiner guten pflege
Und hängt das haupt als ob sie langsam sterbe.

Um ihrer frühern blühenden geschicke
Erinnerung aus meinem sinn zu merzen
Erwähl ich scharfe waffen und ich knicke
Die blasse blume mit dem kranken herzen.

Was soll sie nur zur bitternis mir taugen?
Ich wünschte dass vom fenster sie verschwände..
Nun heb ich wieder meine leeren augen
Und in die leere nacht die leeren hände.

Wo die strahlen schnell verschleissen
Leichentuch der kahlen auen ·
Wasser sich in furchen stauen
In den sümpfen schmelzend gleissen

Und zum strom vereinigt laufen:
Türm ich für erinnerungen
Spröder freuden die zersprungen
Und für dich den scheiterhaufen.

Weg den schritt vom brande lenkend
Greif ich in dem boot die ruder –
Drüben an dem strand ein bruder
Winkt das frohe banner schwenkend.

Tauwind fährt in ungestümen
Stössen über brache schollen ·
Mit den welken seelen sollen
Sich die pfade neu beblümen.

Gemahnt dich noch das schöne bildnis dessen
Der nach den schluchten-rosen kühn gehascht ·
Der über seiner jagd den tag vergessen ·
Der von der dolden vollem seim genascht?

Der nach dem parke sich zur ruhe wandte ·
Trieb ihn ein flügelschillern allzuweit ·
Der sinnend sass an jenes weihers kante
Und lauschte in die tiefe heimlichkeit..

Und von der insel moosgekrönter steine
Verliess der schwan das spiel des wasserfalls
Und legte in die kinderhand die feine
Die schmeichelnde den schlanken hals.

Ruhm diesen wipfeln! dieser farbenflur!
Sie lehrten uns das glück in seinem flüchten
Zu streifen und es bleibt noch zarte spur
An unsrer hand wie schmelz von reifen früchten.

Schon weht das wimpel und es säumt nicht mehr ·
Aus scheidestunden werden tränen rinnen..
Ob einer zweifelhaften wiederkehr
In offnem schmerze zogest du von hinnen.

Ich aber horche in die nahe nacht
Ob dort ein lezter vogelruf vermelde
Den schlaf aus dem sie froh und schön erwacht –
Der liebe sachten schlaf im blumenfelde.

RÜCKKEHR

Ich fahre heim auf reichem kahne ·
Das ziel erwacht im abendrot ·
Vom maste weht die weisse fahne ·
Wir übereilen manches boot.

Die alten ufer und gebäude
Die alten glocken neu mir sind ·
Mit der verheissung neuer freude
Bereden mich die winde lind.

Da taucht aus grünen wogenkämmen
Ein wort · ein rosenes gesicht:
Du wohntest lang bei fremden stämmen ·
Doch unsre liebe starb dir nicht.

Du fuhrest aus im morgengrauen
Und als ob einen tag nur fern
Begrüssen dich die wellenfrauen
Die ufer und der erste stern.

Es lacht in dem steigenden jahr dir
Der duft aus dem garten noch leis.
Flicht in dem flatternden haar dir
Eppich und ehrenpreis.

Die wehende saat ist wie gold noch ·
Vielleicht nicht so hoch mehr und reich ·
Rosen begrüssen dich hold noch ·
Ward auch ihr glanz etwas bleich.

Verschweigen wir was uns verwehrt ist ·
Geloben wir glücklich zu sein ·
Wenn auch nicht mehr uns beschert ist
Als noch ein rundgang zu zwein.

Dies leid und diese last: zu bannen
Was nah erst war und mein.
Vergebliches die arme spannen
Nach dem was nur mehr schein ·

Dies heilungslose sich betäuben
Mit eitlem nein und kein ·
Dies unbegründete sich sträuben ·
Dies unabwendbar-sein.

Beklemmendes gefühl der schwere
Auf müd gewordner pein ·
Dann dieses dumpfe weh der leere ·
O dies: mit mir allein!

Ihr tratet zu dem herde
Wo alle glut verstarb ·
Licht war nur an der erde
Vom monde leichenfarb.

Ihr tauchtet in die aschen
Die bleichen finger ein
Mit suchen tasten haschen –
Wird es noch einmal schein!

Seht was mit trostgebärde
Der mond euch rät:
Tretet weg vom herde ·
Es ist worden spät.

Ich forschte bleichen eifers nach dem horte
Nach strofen drinnen tiefste kümmernis
Und dinge rollten dumpf und ungewiss –
Da trat ein nackter engel durch die pforte:

Entgegen trug er dem versenkten sinn
Der reichsten blumen last und nicht geringer
Als mandelblüten waren seine finger
Und rosen · rosen waren um sein kinn.

Auf seinem haupte keine krone ragte
Und seine stimme fast der meinen glich:
Das schöne leben sendet mich an dich
Als boten: während er dies lächelnd sagte

Entfielen ihm die lilien und mimosen –
Und als ich sie zu heben mich gebückt
Da kniet auch ER · ich badete beglückt
Mein ganzes antlitz in den frischen rosen.

Gib mir den grossen feierlichen hauch
Gib jene glut mir wieder die verjünge
Mit denen einst der kindheit flügelschwünge
Sich hoben zu dem frühsten opferrauch.

Ich mag nicht atmen als in deinem duft.
Verschliess mich ganz in deinem heiligtume!
Von deinem reichen tisch nur eine krume!
So fleh ich heut aus meiner dunklen kluft.

Und ER: was jezt mein ohr so stürmisch trifft
Sind wünsche die sich unentwirrbar streiten.
Gewährung eurer vielen kostbarkeiten
Ist nicht mein amt · und meine ehrengift

Wird nicht im zwang errungen · dies erkenn!
Ich aber bog den arm an seinen knieen
Und aller wachen sehnsucht stimmen schrieen:
Ich lasse nicht · du segnetest mich denn.

Du wirst nicht mehr die lauten fahrten preisen
Wo falsche flut gefährlich dich umstürmt
Und wo der abgrund schroffe felsen türmt
Um deren spitzen himmels adler kreisen.

In diesen einfachen gefilden lern
Den hauch der den zu kühlen frühling lindert
Und den begreifen der die schwüle mindert
Und ihrem kindesstammeln horche gern!

Du findest das geheimnis ewiger runen
In dieser halden strenger linienkunst
Nicht nur in mauermeeres zauberdunst.
»Schon lockt nicht mehr das Wunder der lagunen

Das allumworbene trümmergrosse Rom
Wie herber eichen duft und rebenblüten
Wie sie die Deines volkes hort behüten –
Wie Deine wogen – lebengrüner Strom!«

Ich bin freund und führer dir und ferge.
Nicht mehr mitzustreiten ziemt dir nun
Auch nicht mit den Weisen · hoch vom berge
Sollst du schaun wie sie im tale tun.

Weite menge siehst du rüstig traben
Laut ist ihr sich mühendes gewimmel:
Forscht die dinge nützet ihre gaben
Und ihr habt die welt als freudenhimmel.

Drüben schwärme folgen ernst im qualme
Einem bleichen mann auf weissem pferde
Mit verhaltnen gluten in dem psalme:
Kreuz du bleibst noch lang das licht der erde.

Eine kleine schar zieht stille bahnen
Stolz entfernt vom wirkenden getriebe
Und als losung steht auf ihren fahnen:
Hellas ewig unsre liebe.

Dem markt und ufer gelte dein besuch
Der starken und der schlanken sehne schnellen
Der menge stürmen jauchzen lied und spruch
Der nackten glieder gleiten in den wellen.

Zu neuer form und farbe wird gedeihn
Der streit von mensch mit mensch und tier und erd
Der knaben sprung der mädchen ringelreihn
Und gang und tanz und zierliche geberde.

Doch ist wo du um tiefste schätze freist
Der freunde nächtiger raum · schon schweigt
                                        geplauder
Da bebt ein ton und eine miene kreist
Und schütteln mit der offenbarung schauder.

Da steigt das mächtige wort – ein grosses heil –
Ein stern der auf verborgenen furchen glimmert
Das wort von neuer lust und pein: ein pfeil
Der in die seele bricht und zuckt und flimmert.

Solang noch farbenrauch den berg verklärte
Fand ich auf meinem zuge leicht die fährte
Und manche stimme kannt ich im geheg ·
Nun ist es stumm auf grauem abendsteg.

Nun schreitet niemand der für kurze strecke
Desselben ganges in mir hoffnung wecke
Mit noch so kleinem troste mir begehr ·
So ganz im dunkel wallt kein wandrer mehr.

Und mit des endes ton – dem lied der grille –
Geht auch erinnrung sterben in der stille.
Ein fahler dunst um kalte wälder braut
Verwischt die pfade ohne licht und laut.

Ein grabesodem steigt aus feuchtem bühle
Wo alle schlummern müssen · doch ich fühle
DEIN wehen noch das wieder glut entfacht
Und deine grosse liebe die noch wacht.

URLANDSCHAFT

Aus dunklen fichten flog ins blau der aar
Und drunten aus der lichtung trat ein paar
Von wölfen · schlürften an der flachen flut
Bewachten starr und trieben ihre brut.

Drauf huschte aus der glatten nadeln streu
Die schar der hinde trank und kehrte scheu
Zur waldnacht · eines blieb nur das im ried
Sein end erwartend still den rudel mied.

Hier litt das fette gras noch nie die schur
Doch lagen stämme · starker arme spur ·
Denn drunten dehnte der gefurchte bruch
Wo in der scholle zeugendem geruch

Und in der weissen sonnen scharfem glühn
Des ackers froh des segens neuer mühn
Erzvater grub erzmutter molk
Das schicksal nährend für ein ganzes volk.

DER FREUND DER FLUREN

Kurz vor dem frührot sieht man in den fähren
Ihn schreiten · in der hand die blanke hippe
Und wägend greifen in die vollen ähren
Die gelben körner prüfend mit der lippe.

Dann sieht man zwischen reben ihn mit basten
Die losen binden an die starken schäfte
Die harten grünen herlinge betasten
Und brechen einer ranke überkräfte.

Er schüttelt dann ob er dem wetter trutze
Den jungen baum und misst der wolken schieben
Er gibt dem liebling einen pfahl zum schutze
Und lächelt ihm dem erste früchte trieben.

Er schöpft und giesst mit einem kürbisnapfe
Er beugt sich oft die quecken auszuharken
Und üppig blühen unter seinem stapfe
Und reifend schwellen um ihn die gemarken.

DIE FREMDE

Sie kam allein aus fernen gauen
Ihr haus umging das volk mit grauen
Sie sott und buk und sagte wahr
Sie sang im mond mit offenem haar.

Am kirchtag trug sie bunten staat
Damit sie oft zur luke trat..
Dann ward ihr lächeln süss und herb
Gatten und brüdern zum verderb.

Und übers jahr als sie im dunkel
Einst attich suchte und ranunkel
Da sah man wie sie sank im torf –
Und andere schwuren dass vorm dorf

Sie auf dem mitten weg verschwand..
Sie liess das knäblein nur als pfand
So schwarz wie nacht so bleich wie lein
Das sie gebar im hornungschein.

DIE MASKE

Hell wogt der saal vom spiel der seidnen puppen.
Doch eine barg ihr fieber unterm mehle
Und sah umwirbelt von den tollen gruppen
Dass nicht mehr viel am aschermittwoch fehle.

Sie schleicht hinaus zum öden park · zum flachen
Gestade · winkt noch kurz dem mummenschanze
Und beugt sich fröstelnd übers eis.. ein krachen
Dann stumme kälte · fern der ruf zum tanze.

Keins von den artigen rittern oder damen
Ward sie gewahr bedeckt mit tang und kieseln..
Doch als im frühling sie zum garten kamen
Erhob sich oft vom teich ein dumpfes rieseln.

Die leichte schar aus scherzendem jahrhundert
Vernahm wol dass es drunten seltsam raune..
Nur hat sie sich nicht sehr darob gewundert
Sie hielt es einfach für der wellen laune.

DER TÄTER

Ich lasse mich hin vorm vergessenen fenster: nun tu
Die flügel wie immer mir auf und hülle hienieden
Du stets mir ersehnte du segnende dämmrung mich zu
Heut will ich noch ganz mich ergeben dem
                             lindernden frieden.

Denn morgen beim schrägen der strahlen ist es gescheh
Was unentrinnbar in hemmenden stunden mich peinigt
Dann werden verfolger als schatten hinter mir stehn
Und suchen wird mich die wahllose menge die steinigt.

Wer niemals am bruder den fleck für den dolchstoss
                             bemass
Wie leicht ist sein leben und wie dünn das gedachte
Dem der von des schierlings betäubenden körnern
                             nicht ass!
O wüsstet ihr wie ich euch alle ein wenig verachte!

Denn auch ihr freunde redet morgen: so schwand
Ein ganzes leben voll hoffnung und ehre hienieden..
Wie wiegt mich heute so mild das entschlummernde lar
Wie fühl ich sanft um mich des abends frieden!

DER JÜNGER

Ihr sprecht von wonnen die ich nicht begehre
In mir die liebe schlägt für meinen Herrn
Ihr kennt allein die süsse · ich die hehre ·
Ich lebe meinem hehren Herrn.

Mehr als zu jedem werke eurer gilde
Bin ich geschickt zum werke meines Herrn
Da werd ich gelten · denn mein Herr ist milde
Ich diene meinem milden Herrn.

Ich weiss in dunkle lande führt die reise
Wo viele starben · doch mit meinem Herrn
Trotz ich gefahren · denn mein Herr ist weise
Ich traue meinem weisen Herrn.

Und wenn er allen lohnes mich entblösste:
Mein lohn ist in den blicken meines Herrn.
Sind andre reicher: ist mein Herr der grösste
Ich folge meinem grössten Herrn.

JEAN PAUL

Wenn uns Stets-wandrern und die heimat
                                    schmälend
Zu ihr die liebe schönerer nachbar würgt
So rufst du uns zurück – verlockend quälend
Du voll vom drange der den Gott verbürgt.

In dir nur sind wir ganz: so wirkt kein weiser
Der grauen gaue zwischen meer und kolk..
Du sehnenvoll des heitren südens preiser –
Wie unser breites etwas schlaffes volk

In trübem dämmer bergend stahl und zunder
Draus gluten fahren grell und schillernd mild ·
Du bist der führer in dem wald der wunder
Und herr und kind in unsrem saatgefild.

Du regst den matten geist mit sternenflören
Dann bettest du den wahn auf weichem pfühl..
Goldharfe in erhabnen himmels-chören
Flöte von Maiental und Blumenbühl!

STANDBILDER: DIE BEIDEN ERSTEN

Im maasse mit der landschaft wuchs dein haus
Nicht höher als der nahe baum es sinnt.
Hier weihen töchter dir ihr reines haar
Und söhne schliessen glühend grossen bund.

Du siehst in blauer klarheit deine schar
Stets für dein heiter tiefes fest bereit
Die ihres leibes froh und seiner lust
Und stolz und lächelnd zwischen blüten geht. –

In wolkige nebel deuten deine türme
Beflügelt floh der geist die schwere scholle
Der körper muss zermalmt zum himmel streben
Der spröde stein in immer zartern rosen.

Wenn dein kasteiter über-spitzer finger
Sich faltet weiss dein weit erhobnes auge
Dass sich in frommen rausch die kniee lösen
Das ganze volk vorm wunder schluchzt und zittert.

DER SCHLEIER: DAS SIEBENTE

Ich werf ihn so: und wundernd halten inne
Die auf dem heimischen baumfeld früchte kosten..
Die ferne flammt und eine stadt vom osten
Enttaucht im nu mit kuppel zelt und zinne.

Einst flog er so empor: und öde schranken
Der häuser blinkten scheinhaft durch die nässe
Es regte sich die welt in silberblässe –
Am vollen mittag mondlicht der gedanken!

Er wogt und weht: und diese sind wie hirten
Der ersten tale · jene mädchen gleiten
Wie sie die einst im rausch der Göttin weihten..
Dies paar ist wie ein schatten unter mirten.

Und so gewirbelt: ziehen sie zu zehnen
Durch dein gewohntes tor wie sonnenkinder –
Der langen lust · des leichten glückes finder..
So wie mein schleier spielt wird euer sehnen!

JULI-SCHWERMUT

An Ernest Dowson

Blumen des sommers duftet ihr noch so reich:
Ackerwinde im herben saatgeruch
Du ziehst mich nach am dorrenden geländer
Mir ward der stolzen gärten sesam fremd.

Aus dem vergessen lockst du träume: das kind
Auf keuscher scholle rastend des ährengefilds
In ernte-gluten neben nackten schnittern
Bei blanker sichel und versiegtem krug.

Schläfrig schaukelten wespen im mittagslied
Und ihm träufelten auf die gerötete stirn
Durch schwachen schutz der halme-schatten
Des mohnes blätter: breite tropfen blut.

Nichts was mir je war raubt die vergänglichkeit.
Schmachtend wie damals lieg ich in schmachtender flur
Aus mattem munde murmelt es: wie bin ich
Der blumen müd · der schönen blumen müd!

Mild und trüb
Ist mir fern
Saum und fahrt
Mein geschick.

Sturm und herbst
Mit dem tod
Glanz und mai
Mit dem glück.

Was ich tat
Was ich litt
Was ich sann
Was ich bin:

Wie ein brand
Der verraucht
Wie ein sang
Der verklingt.

Mich erfreute der flug
Aller tiefdunklen pracht
Aller ernten voll glut
Aller seufzer der nacht

Und von frauen die schar
Die uns lenkend uns frönt
Sie im wallenden haar
Sie im tanz erst so schön.

Und der jünglinge chor
Der mich feurig gegrüsst
Deren wort ich belobt
Deren scheitel geküsst.

Erst an euch hab ich spät
Hohe freunde gefühlt
Was uns mählich zerfällt
Und was ewig uns glüht.

Sei rebe die blümt
Sei frucht die betört
Dir lieb und gerühmt..
Nur meide was stört

Was siecht und vermorscht
Was hastet und brüllt..
Von seltnen erforscht
Der menge verhüllt

Begehre das graun
Das schwellt nicht mehr sprengt –
Das schöne zu schaun
Das wärmend nicht sengt

Bis traumstill auf höhn
Der strahl in dir tauscht
In goldnem getön
Dein leben verrauscht.

DAS ZEITGEDICHT

Ihr meiner zeit genossen kanntet schon
Bemaasset schon und schaltet mich – ihr fehltet.
Als ihr in lärm und wüster gier des lebens
Mit plumpem tritt und rohem finger ranntet:
Da galt ich für den salbentrunknen prinzen
Der sanft geschaukelt seine takte zählte
In schlanker anmut oder kühler würde ·
In blasser erdenferner festlichkeit.

Von einer ganzen jugend rauhen werken
Ihr rietet nichts von qualen durch den sturm
Nach höchstem first · von fährlich blutigen träumen.
»Im bund noch diesen freund!« und nicht nur LECHZEND
Nach tat war der empörer eingedrungen
Mit dolch und fackel in des feindes haus..
Ihr kundige las't kein schauern · las't kein lächeln ·
Wart blind für was in dünnem schleier schlief.

Der pfeifer zog euch dann zum wunderberge
Mit schmeichelnden verliebten tönen · wies euch
So fremde schätze dass euch allgemach
Die welt verdross die unlängst man noch pries.
Nun da schon einige arkadisch säuseln
Und schmächtig prunken: greift er die fanfare ·
Verlezt das morsche fleisch mit seinen sporen
Und schmetternd führt er wieder ins gedräng.

Da greise dies als mannheit schielend loben
Erseufzt ihr: solche hoheit stieg herab!
Gesang verklärter wolken ward zum schrei!..
Ihr sehet wechsel · doch ich tat das gleiche.
Und der heut eifernde posaune bläst
Und flüssig feuer schleudert weiss dass morgen
Leicht alle schönheit kraft und grösse steigt
Aus eines knaben stillem flötenlied.

PORTA NIGRA

Ingenio Alf. Scolari

Dass ich zu eurer zeit erwachen musste
Der ich die pracht der Treverstadt gekannt
Da sie den ruhm der schwester Roma teilte ·
Da auge glühend gross die züge traf
Der klirrenden legionen · in der rennbahn
Die blonden Franken die mit löwen stritten ·
Die tuben vor palästen und den Gott
Augustus purpurn auf dem goldnen wagen!

Hier zog die Mosel zwischen heitren villen..
O welch ein taumel klang beim fest des weines!
Die mädchen trugen urnen lebenschwellend –
Kaum kenn ich diese trümmer · an den resten
Der kaiserlichen mauern leckt der nebel ·
Entweiht in särgen liegen heilige bilder ·
Daneben hingewühlt barbarenhöhlen..
Nur aufrecht steht noch mein geliebtes tor!

Im schwarzen flor der zeiten doch voll stolz
Wirft es aus hundert fenstern die verachtung
Auf eure schlechten hütten (reisst es ein
Was euch so dauernd höhnt!) auf eure menschen:
Die fürsten priester knechte gleicher art
Gedunsne larven mit erloschnen blicken
Und frauen die ein sklav zu feil befände –
Was gelten alle dinge die ihr rühmet:

Das edelste ging euch verloren: blut..
Wir schatten atmen kräftiger! lebendige
Gespenster! lacht der knabe Manlius..
Er möchte über euch kein zepter schwingen
Der sich des niedrigsten erwerbs beflissen
Den ihr zu nennen scheut – ich ging gesalbt
Mit perserdüften um dies nächtige tor
Und gab mich preis den söldnern der Cäsaren!

LEO XIII

Heut da sich schranzen auf den thronen brüsten
Mit wechslermienen und unedlem klirren:
Dreht unser geist begierig nach verehrung
Und schauernd vor der wahren majestät
Zum ernsten väterlichen angesicht
Des Dreigekrönten wirklichen Gesalbten
Der hundertjährig von der ewigen burg
Hinabsieht: schatten schön erfüllten daseins.

Nach seinem sorgenwerk für alle welten
Freut ihn sein rebengarten: freundlich greifen
In volle trauben seine weissen hände ·
Sein mahl ist brot und wein und leichte malve
Und seine schlummerlosen nächte füllt
Kein wahn der ehrsucht · denn er sinnt auf hymnen
An die holdselige Frau · der schöpfung wonne ·
Und an ihr strahlendes allmächtiges kind.

»Komm heiliger knabe! hilf der welt die birst
Dass sie nicht elend falle! einziger retter!
In deinem schutze blühe mildre zeit
Die rein aus diesen freveln sich erhebe..
Es kehre lang erwünschter friede heim
Und brüderliche bande schlinge liebe!«
So singt der dichter und der seher weiss:
Das neue heil kommt nur aus neuer liebe.

Wenn angetan mit allen würdezeichen
Getragen mit dem baldachin – ein vorbild
Erhabnen prunks und göttlicher verwaltung –
ER eingehüllt von weihrauch und von lichtern
Dem ganzen erdball seinen segen spendet:
So sinken wir als gläubige zu boden
Verschmolzen mit der tausendköpfigen menge
Die schön wird wenn das wunder sie ergreift.

DAS ZEITGEDICHT

Ich euch gewissen · ich euch stimme dringe
Durch euren unmut der verwirft und flucht:
»Nur niedre herrschen noch · die edlen starben:
Verschwemmt ist glaube und verdorrt ist liebe.
Wie flüchten wir aus dem verwesten ball?«
Lasst euch die fackel halten wo verderben
Der zeit uns zehrt · wo ihr es schafft durch eigne
Erhizte sinne und zersplissnes herz.

Ihr wandet so das haupt bis ihr die Schönen
Die Grossen nicht mehr saht – um sie zu leugnen
Und stürztet ihre alt- und neuen bilder.
Ihr hobet über Körper weg und Boden
Aus rauch und staub und dunst den bau · schon
                                    wuchsen
In riesenformen mauern bogen türme –
Doch das gewölk das höher schwebte ahnte
Die stunde lang voraus wo er verfiel.

Dann krochet ihr in höhlen ein und riefet:
»Es ist kein tag. Nur wer den leib aus sich
Ertötet hat der lösung lohn: die dauer.«
So schmolzen ehmals blass und fiebernd sucher
Des golds ihr erz mit wässern in dem tiegel
Und draussen gingen viele sonnenwege..
Da ihr aus gift und kot die seele kochtet
Verspriztet ihr der guten säfte rest.

Ich sah die nun jahrtausendalten augen
Der könige aus stein von unsren träumen
Von unsren tränen schwer .. sie wie wir wussten:
Mit wüsten wechseln gärten · frost mit glut ·
Nacht kommt für helle – busse für das glück.
Und schlingt das dunkel uns und unsre trauer:
Eins das von je war (keiner kennt es) währet
Und blum und jugend lacht und sang erklingt.

DER WIDERCHRIST

»Dort kommt er vom berge · dort steht er im hain!
Wir sahen es selber · er wandelt in wein
Das wasser und spricht mit den toten.«

O könntet ihr hören mein lachen bei nacht:
Nun schlug meine stunde · nun füllt sich das garn ·
Nun strömen die fische zum hamen.

Die weisen die toren – toll wälzt sich das volk ·
Entwurzelt die bäume · zerklittert das korn ·
Macht bahn für den zug des Erstandnen.

Kein werk ist des himmels das ich euch nicht tu.
Ein haarbreit nur fehlt · und ihr merkt nicht den trug
Mit euren geschlagenen sinnen.

Ich schaff euch für alles was selten und schwer
Das Leichte · ein ding das wie gold ist aus lehm ·
Wie duft ist und saft ist und würze –

Und was sich der grosse profet nicht getraut:
Die kunst ohne roden und säen und baum
Zu saugen gespeicherte kräfte.

Der Fürst des Geziefers verbreitet sein reich ·
Kein schatz der ihm mangelt · kein glück das ihm
                                        weicht..
Zu grund mit dem rest der empörer!

Ihr jauchzet · entzückt von dem teuflischen schein ·
Verprasset was blieb von dem früheren seim
Und fühlt erst die not vor dem ende.

Dann hängt ihr die zunge am trocknenden trog ·
Irrt ratlos wie vieh durch den brennenden hof..
Und schrecklich erschallt die posaune.

Betrübt als führten sie zum totenanger
Sind alle steige wo wir uns begegnen
Doch trägt die graue luft im sachten regnen
Schon einen hauch mit neuen keimen schwanger.
In dünnen reihen ziehen bis zum schachte
Erfüllt mit falbem licht die welken hecken
Wie wenn sich viele starren hände recken
Und jede eine zu umschlingen trachte..
Der seltnen vögel klagendes gefistel
Verliert sich in den gipfeln kahler eichen ·
Nur ein geheimnisvoll lebendiges zeichen
Umfängt den schwarzen stamm: die grüne mistel.
Dass hier vor tagen wol verlockend schaute
Ein kurzer strahl aus nässe-kaltem qualme
Verraten auf dem grund die blassen halme:
Das erste gras.. und zwischen dürrem kraute
In trauergruppen dunkle anemonen.
Sie neigen sich bedeckt mit silberflocken
Und hüllen noch mit ihren blauen glocken
Ihr innres licht und ihre goldnen kronen
Und sind wie seelen die im morgengrauen
Der halberwachten wünsche und im herben
Vorfrühjahrwind voll lauerndem verderben
Sich ganz zu öffnen noch nicht recht getrauen.

Trübe seele – so fragtest du – was trägst du trauer?
Ist dies für unser grosses glück dein dank?
Schwache seele – so sagt ich dir – schon ist in trauer
Dies glück verkehrt und macht mich sterbens krank.

Bleiche seele – so fragtest du – dann losch die
                                    flamme
Auf ewig dir die göttlich in uns brennt?
Blinde seele – so sagt ich dir – ich bin voll flamme:
Mein ganzer schmerz ist sehnsucht nur die brennt.

Harte seele – so fragtest du – ist mehr zu geben
Als jugend gibt? ich gab mein ganzes gut..
Und kann von höherem wunsch ein busen beben
Als diesem: nimm zu deinem heil mein blut!

Leichte seele – so sagt ich dir – was ist dir lieben!
Ein schatten kaum von dem was ich dir bot..
Dunkle seele – so sagtest du – ich muss dich lieben
Ist auch durch dich mein schöner traum nun tot.

Nun lass mich rufen über die verschneiten
Gefilde wo du wegzusinken drohst:
Wie du mich unbewusst durch die gezeiten
Gelenkt – im anfang spiel und dann mein trost.

Du kamst beim prunk des blumigen geschmeides ·
Ich sah dich wieder bei der ersten mahd
Und unterm rauschen rötlichen getreides
Wand immer sich zu deinem haus mein pfad.

Dein wort erklang mir bei des laubes dorren
So traulich dass ich ganz mich dir befahl
Und als du schiedest lispelte verworren
In seufzertönen das verwaiste tal.

So hat das schimmern eines augenpaares
Als ziel bei jeder wanderung geglimmt.
So ward dein sanfter sang der sang des jahres
Und alles kam weil du es so bestimmt.

LOBGESANG

Du bist mein herr! wenn du auf meinem weg ·
Viel-wechselnder gestalt doch gleich erkennbar
Und schön · erscheinst beug ich vor dir den nacken.
Du trägst nicht waffe mehr noch kleid noch fittich
Nur Einen schmuck: ums haar den dichten kranz.
Du rührest an – ein duftiger taumeltrank
Befängt den sinn der deinen odem spürt
Und jede fiber zuckt von deinem schlag.
Der früher nur den Sänftiger dich hiess
Gedachte nicht dass deine rosige ferse
Dein schlanker finger so zermalmen könne.
Ich werfe duldend meinen leib zurück
Auch wenn du kommst mit deiner schar von tieren
Die mit den scharfen klauen mäler brennen
Mit ihren hauern wunden reissen · seufzer
Erpressend und unnennbares gestöhn.
Wie dir entströmt geruch von weicher frucht
Und saftigem grün: so ihnen dunst der wildnis.
Nicht widert staub und feuchte die sie führen ·
Kein ding das webt in deinem kreis ist schnöd.
Du reinigst die befleckung · heilst die risse
Und wischst die tränen durch dein süsses wehn.
In fahr und fron · wenn wir nur überdauern ·
Hat jeder tag mit einem sieg sein ende –
So auch dein dienst: erneute huldigung
Vergessnes lächeln ins gestirnte blau.

Wie dank ich sonne dir ob jeden dings
Beim ersten schritte über meine schwelle!
Mit warmen strahlen küssest du mich rings –
Wie wird mein morgen froh · mein mittag helle!

Das haar geb ich dem zarten winde preis ·
Des gartens düfte öffnen jede pore.
Da kos't die hand manch purpurschwellend reis ·
Da kühlt die wange sich im schneeigen flore.

O nachmittag der schwärmt und brennt und dräut
Mit der heroen und der magier plane
Und ganze welten mir zum spiele beut
Indes die welle mit mir spielt im kahne!

Und dann des abends gleichersehntes fest!
Wo ich entzündet bin vom heiligen brauche
Der teure bilder liebend an sich presst
Bis alle freude sanft in schlummer tauche.

ENTRÜCKUNG

Ich fühle luft von anderem planeten.
Mir blassen durch das dunkel die gesichter
Die freundlich eben noch sich zu mir drehten.

Und bäum und wege die ich liebte fahlen
Dass ich sie kaum mehr kenne und Du lichter
Geliebter schatten – rufer meiner qualen –

Bist nun erloschen ganz in tiefern gluten
Um nach dem taumel streitenden getobes
Mit einem frommen schauer anzumuten.

Ich löse mich in tönen · kreisend · webend ·
Ungründigen danks und unbenamten lobes
Dem grossen atem wunschlos mich ergebend.

Mich überfährt ein ungestümes wehen
Im rausch der weihe wo inbrünstige schreie
In staub geworfner beterinnen flehen:

Dann seh ich wie sich duftige nebel lüpfen
In einer sonnerfüllten klaren freie
Die nur umfängt auf fernsten bergesschlüpfen.

Der boden schüttert weiss und weich wie molke .
Ich steige über schluchten ungeheuer ·
Ich fühle wie ich über lezter wolke

In einem meer kristallnen glanzes schwimme –
Ich bin ein funke nur vom heiligen feuer
Ich bin ein dröhnen nur der heiligen stimme.

LITANEI

Tief ist die trauer   die mich umdüstert ·
Ein tret ich wieder   Herr! in dein haus..

Lang war die reise · matt sind die glieder ·
Leer sind die schreine · voll nur die qual.

Durstende zunge   darbt nach dem weine.
Hart war gestritten · starr ist mein arm.

Gönne die ruhe   schwankenden schritten ·
Hungrigem gaume   bröckle dein brot!

Schwach ist mein atem   rufend dem traume –
Hohl sind die hände · fiebernd der mund..

Leih deine kühle · lösche die brände ·
Tilge das hoffen · sende das licht!

Gluten im herzen   lodern noch offen ·
Innerst im grunde   wacht noch ein schrei..

Töte das sehnen · schliesse die wunde!
Nimm mir die liebe · gib mir dein glück!

HEHRE HARFE

Sucht ihr neben noch das übel
Greift ihr aussen nach dem heile:
Giesst ihr noch in lecke kübel ·
Müht ihr euch noch um das feile.

Alles seid ihr selbst und drinne:
Des gebets entzückter laut
Schmilzt in eins mit jeder minne ·
Nennt sie Gott und freund und braut!

Keine zeiten können borgen..
Fegt der sturm die erde sauber:
Tretet ihr in euren morgen ·
Werfet euren blick voll zauber

Auf die euch verliehnen gaue
Auf das volk das euch umfahet
Und das land das dämmergraue
Das ihr früh im brunnen sahet.

Hegt den wahn nicht: mehr zu lernen
Als aus staunen überschwang
Holden blumen hohen sternen
EINEN sonnigen lobgesang.

Dies ist ein lied
Für dich allein:
Von kindischem wähnen
Von frommen tränen..
Durch morgengärten klingt es
Ein leichtbeschwingtes.
Nur dir allein
Möcht es ein lied
Das rühre sein.

Im windes-weben
War meine frage
Nur träumerei.
Nur lächeln war
Was du gegeben.
Aus nasser nacht
Ein glanz entfacht –
Nun drängt der mai ·
Nun muss ich gar
Um dein aug und haar
Alle tage
In sehnen leben.

An baches ranft
Die einzigen frühen
Die hasel blühen.
Ein vogel pfeift
In kühler au.
Ein leuchten streift

Erwärmt uns sanft
Und zuckt und bleicht.
Das feld ist brach ·
Der baum noch grau ..
Blumen streut vielleicht
Der lenz uns nach.

Im morgen-taun
Trittst du hervor
Den kirschenflor
Mit mir zu schaun ·
Duft einzuziehn
Des rasenbeetes.
Fern fliegt der staub ..
Durch die natur
Noch nichts gediehn
Von frucht und laub –
Rings blüte nur …
Von süden weht es.

Kahl reckt der baum
Im winterdunst
Sein frierend leben ·
Lass deinen traum
Auf stiller reise
Vor ihm sich heben!
Er dehnt die arme –
Bedenk ihn oft
Mit dieser gunst

Dass er im harme
Dass er im eise
Noch frühling hofft!

Kreuz der strasse..
Wir sind am end.
Abend sank schon..
Dies ist das end.
Kurzes wallen
Wen macht es müd?
Mir zu lang schon..
Der schmerz macht müd.
Hände lockten:
Was nahmst du nicht?
Seufzer stockten:
Vernahmst du nicht?
Meine strasse
Du ziehst sie nicht.
Tränen fallen
Du siehst sie nicht.

Mein kind kam heim.
Ihm weht der seewind noch im haar
Noch wiegt sein tritt
Bestandne furcht und junge lust der fahrt.

Vom salzigen sprühn
Entflammt noch seiner wange brauner schmelz:
Frucht schnell gereift
In fremder sonnen wildem duft und brand.

Sein blick ist schwer
Schon vom geheimnis das ich niemals weiss
Und leicht umflort
Da er vom lenz in unsern winter traf.

So offen quoll
Die knospe auf dass ich fast scheu sie sah
Und mir verbot
Den mund der einen mund zum kuss schon kor.

Mein arm umschliesst
Was unbewegt von mir zu andrer welt
Erblüht und wuchs –
Mein eigentum und mir unendlich fern.

WILDER PARK

Feuchter schatten fällt aus den buchen..
Fettes gras schiesst wuchernd empor ·
Hüllt den weiher – gehst du ihn suchen?
Welch geraun entquoll seinem moor?

Halblicht sinkt durch buschige dächer ·
Trauernd schmiegt sich moosig umwirrt
Nackter gott vorm schilfigen fächer –
Welch ein klaglaut hat dich umgirrt?

Lächelnd streifst du steinprunk der vasen ·
Laub ist spröde · früchte sind firn.
Welch ein wind kam fernher geblasen?
Welch ein zweig fuhr um deine stirn?

Leise bebst du · glücklich umgaukelt ·
Eilst dem tor zu · linde bedrückt..
Welche blume hat dir geschaukelt?
Welch ein strahl kam auf dich gezückt?

Fenster wo ich einst mit dir
Abends in die landschaft sah
Sind nun hell mit fremdem licht.

Pfad noch läuft vom tor wo du
Standest ohne umzuschaun
Dann ins tal hinunterbogst.

Bei der kehr warf nochmals auf
Mond dein bleiches angesicht..
Doch es war zu spät zum ruf.

Dunkel – schweigen – starre luft
Sinkt wie damals um das haus.
Alle freude nahmst du mit.

»Geh ich an deinem haus vorbei
So send ich ein gebet hinauf
Als lägest du darinnen tot«

Wenn ich auf deiner brücke steh
Sagt mir ein flüstern aus dem fluss:
Hier stieg vordem dein licht mir auf.

Und kommst du selber meines wegs
So haftet nicht mein aug und kehrt
Sich ohne schauder ohne gruss

Mit einem inneren neigen nur
Wie wir es pflegen zieht daher
Ein fremder auf dem lezten gang.

EINEM PATER

Kehrt wieder kluge und gewandte väter!
Auch euer gift und dolch ist bessre sitte
Als die der gleichheit-lobenden verräter.
Kein schlimmrer feind der völker als DIE mitte!

Wer ist dein Gott? All meines traums begehr ·
Der nächste meinem urbild · schön und hehr.
Was die gewalt gab unsrer dunklen schösse
Was uns von jeher wert erwarb und grösse –
Geheimste quelle innerlichster brand:
Dort ist Er wo mein blick zu reinst es fand.
Der erst dem einen Löser war und Lader
Dann neue wallung giesst durch jede ader
Mit frischem saft die frühern götter schwellt
Und alles abgestorbne wort der welt.
Der gott ist das geheimnis höchster weihe
Mit strahlen rings erweist er seine reihe:
Der sohn aus sternenzeugung stellt ihn dar
Den neue mitte aus dem geist gebar.

Alles habend alles wissend seufzen sie:
»Karges leben! drang und hunger überall!
Fülle fehlt!«
Speicher weiss ich über jedem haus
Voll von korn das fliegt und neu sich häuft –
Keiner nimmt..
Keller unter jedem hof wo siegt
Und im sand verströmt der edelwein –
Keiner trinkt..
Tonnen puren golds verstreut im staub:
Volk in lumpen streift es mit dem saum –
Keiner sieht.

Die ihr die wilden dunklen zeiten nennt
In eurer lughaft freien milden klugen:
Sie wollten doch durch grausen marter mord
Durch fratze wahn und irrtum hin zum gott.
Ihr frevler als die ersten tilgt den gott
Schafft einen götzen nicht nach Seinem bild
Kosend benamt und greulich wie noch keiner
Und werft ihm euer bestes in den schlund.
Ihr nennt es EUREN weg und wollt nicht ruhn
In trocknem taumel rennend bis euch allen
Gleich feig und feil statt Gottes rotem blut
Des götzen eiter in den adern rinnt.

Ihr baut verbrechende an maass und grenze:
»Was hoch ist kann auch höher!« doch kein fund
Kein stütz und flick mehr dient.. es wankt der bau.
Und an der weisheit end ruft ihr zum himmel:
»Was tun eh wir im eignen schutt ersticken
Eh eignes spukgebild das hirn uns zehrt?«
Der lacht: zu spät für stillstand und arznei!
Zehntausend muss der heilige wahnsinn schlagen
Zehntausend muss die heilige seuche raffen
Zehntausende der heilige krieg.

Einer stand auf der scharf wie blitz und stahl
Die klüfte aufriss und die lager schied
Ein Drüben schuf durch umkehr eures Hier..
Der euren wahnsinn so lang in euch schrie
Mit solcher wucht dass ihm die kehle barst.
Und ihr? ob dumpf ob klug ob falsch ob echt
Vernahmt und saht als wäre nichts geschehn..
Ihr handelt weiter sprecht und lacht und heckt.
Der warner ging.. dem rad das niederrollt
Zur leere greift kein arm mehr in die speiche.

Weltabend lohte.. wieder ging der Herr
Hinein zur reichen stadt mit tor und tempel
Er arm verlacht der all dies stürzen wird.
Er wusste: kein gefügter stein darf stehn
Wenn nicht der grund · das ganze · sinken soll.
Die sich bestritten nach dem gleichen trachtend:
Unzahl von händen rührte sich und unzahl
Gewichtiger worte fiel und Eins war not.
Weltabend lohte.. rings war spiel und sang
Sie alle sahen rechts – nur Er sah links.

Breit' in der stille den geist
Unter dem reinen gewölk
Send ihn zu horchender ruh
Lang in die furchtbare nacht
Dass er sich reinigt und stärkt
Du dich der hüllen befreist
Du nicht mehr stumm bist und taub
Wenn sich der gott in dir regt
Wenn dein geliebter dir raunt.

Über wunder sann ich nach
In der weisheit untern kammern:
War der gott der mich erleuchtet
War der geist der mir erschienen
Fern aus unermessnen höhn?
Hab ich selber ihn geboren?
Schweig gedanke! seele bete!
Ist ein wunder gleich dem einen
Wunder dieses ganzen jahrs?
Riss ich nicht ins enge leben
Durch die stärke meiner liebe
Einen stern aus seiner bahn?

Vor-abend war es unsrer bergesfeier
Wo du den wein aus meinem becher trankst.
Wir stiegen von dem strom aus gipfel-an
Da ward mit eins des himmels rasengrüne
Durchleuchtend blau wie in der süder buchten.
Entrückter goldschein machte bäum und häuser
Zum sitz der Seligen.. zeitloses nu
Wo landschaft geistig wird und traum zu wesen.
Schauder umfloss uns.. nu des grössten glückes
Das ganzen erdenwandel fassend krönte
Und nicht mehr neiden liess den alt-ersehnten
Den glanz des göttlichen des Inselmeers.

Neuen adel den ihr suchet
Führt nicht her von schild und krone!
Aller stufen halter tragen
Gleich den feilen blick der sinne
Gleich den rohen blick der spähe..
Stammlos wachsen im gewühle
Seltne sprossen eignen ranges
Und ihr kennt die mitgeburten
An der augen wahrer glut.

DER GEHENKTE

DER FRAGER

Den ich vom galgen schnitt · wirst du mir reden?

DER GEHENKTE

Als unter der verwünschung und dem schrei
Der ganzen stadt man mich zum tore schleppte
Sah ich in jedem der mit steinen warf
Der voll verachtung breit die arme stemmte
Der seinen finger reckte auf der achsel
Des vordermanns das aug weit aufgerissen ·
Dass in ihm einer meiner frevel stak
Nur schmäler oder eingezäumt durch furcht.
Als ich zum richtplatz kam und strenger miene
Die Herrn vom Rat mir beides: ekel zeigten
Und mitleid musst ich lachen: »ahnt ihr nicht
Wie sehr des armen sünders ihr bedürft?«
Tugend – die ich verbrach – auf ihrem antlitz
Und sittiger frau und maid · sei sie auch wahr ·
So strahlen kann sie nur wenn ich so fehle!
Als man den hals mir in die schlinge steckte
Sah schadenfroh ich den triumf voraus:
Als sieger dring ich einst in euer hirn
Ich der verscharrte.. und in eurem samen
Wirk ich als held auf den man lieber singt
Als gott.. und eh ihrs euch versahet · biege
Ich diesen starren balken um zum rad.

DER MENSCH UND DER DRUD

DER MENSCH

Das enge bachbett sperrt ein wasserfall –
Doch wer hängt das behaarte bein herab
Von dieses felsens träufelnd fettem moos?
Aus buschig krausem kopfe lugt ein horn..
So weit ich schon in waldgebirgen jagte
Traf ich doch seinesgleichen nie.. Bleib still
Der weg ist dir verlegt · verbirg auch nichts!
Aus klarer welle schaut ein ziegenfuss.

DER DRUD

Nicht dich noch mich wird freun dass du mich
fandst.

DER MENSCH

Ich wusste wol von dir verwandtem volk
Aus vorzeitlicher märe – nicht dass heut
So nutzlos hässlich ungetüm noch lebt.

DER DRUD

Wenn du den lezten meiner art vertriebst
Spähst du vergeblich aus nach edlem wild
Dir bleibt als beute nager und gewürm
Und wenn ins lezte dickicht du gebrochen
Vertrocknet bald dein nötigstes: der quell.

DER MENSCH

Du ein weit niedrer lehrst mich? Unser geist
Hat hyder riese drache greif erlegt
Den unfruchtbaren hochwald ausgerodet
Wo sümpfe standen wogt das ährenfeld
Im saftigen grün äst unser zahmes rind
Gehöfte städte blühn und helle gärten
Und forst ist noch genug für hirsch und reh –
Die schätze hoben wir von see und grund
Zum himmel rufen steine unsre siege..
Was willst du überbleibsel grauser wildnis?
Das licht die ordnung folgen unsrer spur.

DER DRUD

Du bist nur mensch.. wo deine weisheit endet
Beginnt die unsre · du merkst erst den rand
Wo du gebüsst hast für den übertritt.
Wenn dein getreide reift dein vieh gedeiht
Die heiligen bäume öl und trauben geben
Wähnst du dies käme nur durch deine list.
Die erden die in dumpfer urnacht atmen
Verwesen nimmer · sind sie je gefügt
Zergehn sie wenn ein glied dem ring entfällt.
Zur rechten weile ist dein walten gut ·
Nun eil zurück! du hast den Drud gesehn.
Dein schlimmstes weisst du selbst nicht: wenn dei
                                                sin
Der vieles kann in wolken sich verfängt
Das band zerrissen hat mit tier und scholle –

90

Ekel und lust getrieb und einerlei
Und staub und strahl und sterben und entstehn
Nicht mehr im gang der dinge fassen kann.

DER MENSCH

Wer sagt dir so? dies sei der götter sorge.

DER DRUD

Wir reden nie von ihnen · doch ihr toren
Meint dass sie selbst euch helfen. Unvermittelt
Sind sie euch nie genaht. Du wirst du stirbst –
Wes wahr geschöpf du bist erfährst du nie.

DER MENSCH

Bald ist kein raum mehr für dein zuchtlos spiel.

DER DRUD

Bald rufst du drinnen den du draussen schmähst.

DER MENSCH

Du giftiger unhold mit dem schiefen mund
Trotz deiner missgestalt bist du der unsren
Zu nah · sonst träfe jezt dich mein geschoss..

DER DRUD

Das tier kennt nicht die scham der mensch nicht
dank.

Mit allen künsten lernt ihr nie was euch
Am meisten frommt.. wir aber dienen still.
So hör nur dies: uns tilgend tilgt ihr euch.
Wo unsre zotte streift nur da kommt milch
Wo unser huf nicht hintritt wächst kein halm.
Wär nur dein geist am werk gewesen: längst
Wär euer schlag zerstört und all sein tun
Wär euer holz verdorrt und saatfeld brach..
Nur durch den zauber bleibt das leben wach.

GESPRÄCH DES HERRN
MIT DEM RÖMISCHEN HAUPTMANN

HAUPTMANN

Ich weiss Herr dass du worte ewigen lebens hast
Des eignen hauses kindern brot zu bringen kamst
Doch die gefallnen krumen fremden nicht verwehrst:
Gib der bedrängten seele rat.

DER HERR

Philippos frag!

HAUPTMANN

Sind jene zeichen wahr mit denen man dich rühmt?

DER HERR

Kind der sie nötig hat · kind der sich daran stösst..
Vor allem volk geschahen sie und glaube half
Der blinde sah der lahme nahm sein bett und ging
Das wasser ward zu wein · doch was bedräun sie dich
Da du kein solcher bist der sie an sich erfährt?

HAUPTMANN

Du predigst nie den Weisen sondern ärmstem leut
Den fischern zöllnern für dein licht zu unbelehrt?

DER HERR

Hilflos zum thron des Vaters schreien blöd und klug ·
Zuzeiten ist der menschen weisheit schutt und spreu
Der welt erlösung kommt nur aus entflammtem blut.

HAUPTMANN

Ich hielt von früh auf das allgültige gesetz
Was auch du heischest zum gewinn des himmelreichs.
Ich folgte lang der grossen Redner unterricht
Auf meinen fahrten wurden mir des Sonnenherrn
Und auf den eilanden der Mütter und der Drei
Geheimnisse die unaussprechlichen zuteil ·
An Nilus quellen übte ich der nackten büsser brauch..
Gleich blieb der kunde kern. Bringst du ein andres hei

DER HERR

Die antwort gibst du selbst da du mich suchen gingst.

HAUPTMANN

Erhabner sieh mich flehn: du weisst im heiligen hag
Eh man das höchste schauen darf wird offenbart
Dass nur des reigens führer mit der gottheit eint ·
Du schlangst ihn nie noch nennst ihn.. irren denn
                             die weihn?

DER HERR

Du irrst nicht sie. Ich schlang ihn nach dem liebesmal
Mit aller schar: doch schweigen herrscht wo
                          deutung weit.
Mein wesen brauchen sie nicht ganz – nur meine glut

Des Sohnes banner mag im erdrund siegend wehn
Äonenlang sein sinnbild ob den völkern stehn
Eh wer des bundes fülle schaut: den Christ im tanz.

HAUPTMANN

Meister noch dies: ist was du bringst das lezte reich?

DER HERR

Dein sinn bleibt gleich verwirrt – sag ichs und sag
ichs nicht.

HAUPTMANN

Ich kniee · nimm mich! warum bannest du mich nicht?

DER HERR

Weil deine dünne lymphe Gottes kraft nicht mehr
erträgt..
Du hast nun was du haben kannst. Steh auf und geh!

DAS LIED

Es fuhr ein knecht hinaus zum wald
Sein bart war noch nicht flück
Er lief sich irr im wunderwald
Er kam nicht mehr zurück.

Das ganze dorf zog nach ihm aus
Vom früh- zum abendrot
Doch fand man nirgends seine spur
Da gab man ihn für tot.

So flossen sieben jahr dahin
Und eines morgens stand
Auf einmal wieder er vorm dorf
Und ging zum brunnenrand.

Sie fragten wer er wär und sahn
Ihm fremd ins angesicht ·
Der vater starb die mutter starb
Ein andrer kannt ihn nicht.

Vor tagen hab ich mich verirrt
Ich war im wunderwald
Dort kam ich recht zu einem fest
Doch heim trieb man mich bald.

Die leute tragen güldnes haar
Und eine haut wie schnee..
So heissen sie dort sonn und mond
So berg und tal und see.

Da lachten all: in dieser früh
Ist er nicht weines voll.
Sie gaben ihm das vieh zur hut
Und sagten er ist toll.

So trieb er täglich in das feld
Und sass auf einem stein
Und sang bis in die tiefe nacht
Und niemand sorgte sein.

Nur kinder horchten seinem lied
Und sassen oft zur seit..
Sie sangen's als er lang schon tot
Bis in die spätste zeit.

Horch was die dumpfe erde spricht:
Du frei wie vogel oder fisch –
Worin du hängst · das weisst du nicht.

Vielleicht entdeckt ein spätrer mund:
Du sassest mit an unsrem tisch
Du zehrtest mit von unsrem pfund.

Dir kam ein schön und neu gesicht
Doch zeit ward alt · heut lebt kein mann
Ob er je kommt das weisst du nicht

Der dies gesicht noch sehen kann.

SEELIED

Wenn an der kimm in sachtem fall
Eintaucht der feurig rote ball:
Dann halt ich auf der düne rast
Ob sich mir zeigt ein lieber gast.

Zu dieser stund ists öd daheim ·
Die blume welkt im salzigen feim.
Im lezten haus beim fremden weib
Tritt nie wer unter zum verbleib.

Mit gliedern blank mit augen klar
Kommt nun ein kind mit goldnem haar ·
Es tanzt und singt auf seiner bahn
Und schwindet hinterm grossen kahn.

Ich schau ihm vor · ich schau ihm nach
Wenn es auch niemals mit mir sprach
Und ich ihm nie ein wort gewusst:
Sein kurzer anblick bringt mir lust.

Mein herd ist gut · mein dach ist dicht ·
Doch eine freude wohnt dort nicht.
Die netze hab ich all geflickt
Und küch und kammer sind beschickt.

So sitz ich · wart ich auf dem strand
Die schläfe pocht in meiner hand:
Was hat mein ganzer tag gefrommt
Wenn heut das blonde kind nicht kommt.

DAS WORT

Wunder von ferne oder traum
Bracht ich an meines landes saum

Und harrte bis die graue norn
Den namen fand in ihrem born –

Drauf konnt ichs greifen dicht und stark
Nun blüht und glänzt es durch die mark…

Einst langt ich an nach guter fahrt
Mit einem kleinod reich und zart

Sie suchte lang und gab mir kund:
»So schläft hier nichts auf tiefem grund«

Worauf es meiner hand entrann
Und nie mein land den schatz gewann…

So lernt ich traurig den verzicht:
Kein ding sei wo das wort gebricht.

Du schlank und rein wie eine flamme
Du wie der morgen zart und licht
Du blühend reis vom edlen stamme
Du wie ein quell geheim und schlicht

Begleitest mich auf sonnigen matten
Umschauerst mich im abendrauch
Erleuchtest meinen weg im schatten
Du kühler wind du heisser hauch

Du bist mein wunsch und mein gedanke
Ich atme dich mit jeder luft
Ich schlürfe dich mit jedem tranke
Ich küsse dich mit jedem duft

Du blühend reis vom edlen stamme
Du wie ein quell geheim und schlicht
Du schlank und rein wie eine flamme
Du wie der morgen zart und licht.

NACHWORT

Für Stefan George hat es nie einen Zweifel gegeben, daß er berufen sei, Dichter zu sein, im engsten Sinne, Dichter von Gedichten, wie Klopstock, Hölderlin, Rilke. Ihm war das Gedicht das Höchste, was Menschen erreichbar ist, und dieses Höchste wirkt durch Schönheit zum Guten, es heilt und steigert. So war er angelegt, so wurde er in seinen bildsamen Jahren durch seine Lehrer in Paris, besonders Mallarmé, bestätigt. Mit zweiundzwanzig Jahren, 1890, gab er einen kleinen Gedichtband frei, die »Hymnen«, fast unter Ausschluß der Öffentlichkeit. Es war eine große Stunde in der deutschen Dichtung.

Vorgefunden hat er im Bereich deutscher Sprache buchstäblich nichts. Wir kennen die Namen nicht mehr derer, die damals Verse machten; stellvertretend sei Geibel genannt. Sie Epigonen zu nennen, hieße die wahren Epigonen schmähen, Keller, C. F. Meyer, Storm, die, als Dichter von Gedichten, wissend und mit Würde ihr Schicksal trugen, spät zu sein. Was produziert wurde, war kraftlos, flach, beliebig, ohne jeden Anspruch, Spiegelung eines steril gewordenen Bürgertums ohne Auftrag. Gegenkräfte wurden wach, der Naturalismus kam auf, stoffreudig, die Sprache durch das Idiom der Gosse anreichernd, in der Lyrik schon deshalb unfruchtbar, weil Form kein Stilelement war; eine Art Impressionismus, Liliencron, Auflösung der angeschauten Welt in Reize; Versuche, aus dem Cabaret poetische Funken zu schlagen, Bierbaum, Hartleben.

Der Fundus, das Vermögen war da bei George, aber es war dann ein unerhörter Willensakt, die Sprache aus dem Nichts in ihre angestammte Würde zu heben. Gelegentlich überkamen ihn Zweifel, ob er nicht doch den leichteren Weg gehen und in französischer Sprache dichten solle. (In seiner Schülerzeit hatte er eine eigene Sprache ersonnen, in die er Gesänge Homers übersetzte.) In einer kämpferischen Auseinandersetzung mit dem Französischen, durch die Übersetzung Baudelaires ins Deutsche, fand er seinen Weg als deutscher Dichter.

Was aber ist das Neue, wie kann behauptet werden, hier sei etwas geschehen, das fortzeugend Gutes geboren hat? Zunächst und über allem ist es ein neues Ethos, mit kultischen Elementen. George: »Mit ernst und heiligkeit · der kunst nahen.« Das Gedicht ist nicht mehr, was er bei seinen Zeitgenossen vorfand, Zeitvertreib und Zierat, es spricht aus, in Georges Worten, »die tiefsten Lebensgluten in der schönsten Bändigung«. Im großen Gedicht feiert der Mensch die Sprache, und feiert die Sprache Mensch und Natur. Ein solcher Anspruch erzwingt eine Weise des gedichteten Sagens, die oberhalb der Alltagssprache ist, auch der poetisierenden. Das Kultische, das aus dem gewohnten Tag Hinaushebende, führt zu dem, was man den »hohen Ton« nennen kann. Dieser Ton, großer Stil, ist für Georges Werk konstituierend. Er muß durchgehalten werden, unerbittlich, der Dichter darf nicht abgleiten. Dabei bewegt er sich auf schmalem Grat, denn er muß immer der Gefahr begegnen, der »hohe Ton« könne überhöht werden, ins Prunkhafte, in die schöne, aber nicht erfüllte Gebärde.

Neu ist der »hohe Ton« nicht, wie überhaupt nichts neu ist; alle Dichtung ersten Ranges ist erhöht, vielleicht ohne daß der Dichter es angestrebt hat. Bei George wird der hohe Ton bewußt und konsequent als Stilprinzip durchgehalten.

Das andere ist die »harte Fügung«. George kannte den Begriff damals noch nicht. Es ist die austeros harmonia, im Hellenismus hauptsächlich an der Dichtweise des Pindar entwickelt. Bei ihr werden die einzelnen Wörter durch die

104

Auffälligkeit ihres Klanges so sehr mit Bedeutung beladen, daß sie in den übergeordneten Zusammenhängen des Satzes und Verses ihr eigenes Recht bewahren. Der Dichter fügt auch hart durch Verkürzung, durch Pressung der Grammatik bis an die Grenze des Möglichen, durch Weglassungen. Der Sinn ist, daß nicht, wie so oft bei glatt gefügten Strophen, das Gedicht davonläuft, der Leser oder Hörer eingewiegt wird in Wohlklang und Genuß. Er soll gefordert werden, beunruhigt, die Widerhaken halten ihn am Gedicht. Die harte Fügung ist eine Grundmöglichkeit aller Poesie, sie ist Voraussetzung der höchsten: Pindar, Dante, Shakespeare in seinen Sonetten, bei uns Klopstock, Goethe (der, er wäre nicht Goethe, auf jede Weise fügen konnte), Hölderlin – George hat nicht erfunden, er hat zurückgegriffen.

George der Erneuerer der deutschen Dichtersprache. Und Hofmannsthal? In der Tat, unabhängig von Stefan George hat ein junger Wiener, eben siebzehnjährig, in einer Zeitschrift Gedichte veröffentlicht von zauberhafter Schönheit, er verfügte von vornherein souverän über seinen Stoff, das Überkommene einschmelzend und vorweisend, als sei es neu, nie dagewesen, und es war neu, so nie dagewesen. Trotzdem können die beiden nicht zusammen genannt werden, wenn von Erneuerung die Rede ist. Das Geheimnis bei Hofmannsthal ist, daß er spielerisch und selig seine Gebilde schuf, willenlos gewissermaßen. George aber war nur Wille; Hofmannsthal wollte nichts als dichten, George wollte von vornherein Zukunft schaffen. Schon ganz früh, in der ersten Nummer seiner »Blätter für die Kunst«, mit dreiundzwanzig Jahren: »In der kunst glauben wir an eine glänzende wiedergeburt.«

Erneuerung. Es ist Georges unvergängliche Tat, nur mit der Klopstocks vergleichbar, Dichtung wieder möglich gemacht zu haben. Es ist sittliche Tat. Hofmannsthal hat die schroffe Forderung erkannt, und er hat darunter gelitten. Das führte schließlich zu dem Bekenntnis in einem Brief aus dem Jahre 1902:

»...mit Ihrem Buch (›Der Teppich des Lebens‹), von dem sonst ein einzelner Vers mich stundenlang beschäftigen und mich so erfreuen konnte, daß ich darüber – ich glaube es fest, so sonderbar es klingt – die Fähigkeit, selbst kurze Gedichte zu machen, verloren habe...« (Unter »kurzem Gedicht« versteht er das lyrische Gedicht.) Das ist ein vornehmes, bewegendes Wort, die Verneigung eines Großen vor dem als größer Erkannten. Er hat sich daran gehalten. Zweiter mochte er nicht sein.

Rilke hat sich vielfach dankbar bekannt, etwa in einem Bericht aus dem Jahre 1926:

»Vom Meister seiner dichterischen Anfänge sprach Rilke stets mit der größten Verehrung. Es sei für die Jungen wie eine Erlösung gewesen, als in der allgemeinen Verrottung des Geschmacks in der Dichtkunst Stefan George in den 1890er Jahren aufgetreten sei und der deutschen Dichtung ihre Würde zurückerstattet habe.« Der spätere, erst recht der späte Rilke ist ein Dichter eigenen Ranges. Aber ohne George wären die »Duineser Elegien« so nicht gedichtet worden. Daß wir in Deutschland in den ersten fünfzig Jahren des Jahrhunderts noch eine späte Blüte der Lyrik erleben durften, ist ein Geschenk. Gewiß ist Stefan George nicht allein der Schenkende, aber er ist die Voraussetzung.

*

Wir wissen nicht, was es ist, das den einen zum Dichter macht, das aber so vielen anderen verwehrt ist, auch wenn sie des Formens durchaus fähig sind. Bei George ist zu vermuten, daß die in ihm angelegte magische Kraft sich ins Gedicht umsetzt.

George lebte mit einem Teil seines Wesens in und aus einer Zeit, die vor aller Geschichte ist. Immer wieder wird das in seinen Gedichten sichtbar. Das magische Fluidum, die Ausstrahlung waren außerordentlich; das Unheimliche, Bannende ist aus vielen Berichten bezeugt, es hat Menschen erhöht und geschädigt. Der ganz junge Hofmannsthal, in den Wochen der ersten Begegnung, hat damals ein Sonett geschrieben, »Der Prophet«, dessen Schluß lautet:

> Er aber ist nicht wie er immer war.
> Sein Auge bannt und fremd ist Stirn und Haar.
> Von seinen Worten, den unscheinbar leisen,
> geht eine Herrschaft aus und ein Verführen.
> Er macht die leere Luft beengend kreisen
> und er kann töten, ohne zu berühren.

Robert Boehringer, fast dreißig Jahre mit George eng verbunden, privat übrigens ein großer Unternehmer und mächtiger Wirtschaftsmann: »Blättert man die Bilder der Menschen durch, mit denen er befreundet war: mit dem ist es zum Bruch gekommen, der ging in den Tod, dieser ist gefallen, der ging ins Exil... und wenn sich Schicksale erst nach seinem Tode erfüllt haben, so doch manchmal auch dann noch getrieben von seinem Hauch.«

Mit Magie hat auch zu tun Georges Liebe zu den Indianern, seine Kennerschaft der Bräuche, ihrer Riten, ihrer magischen Welt; sein Verhältnis zu Zahlen, besonders der drei und der sieben; zur Sprache, zum Wort – tage- und wochenlang konnte er dasselbe Wort vor sich hinsagen, er kritzelte seltsame Schriftzeichen auf Zettel und heftete sie an die Wand, den Menschen seiner Umgebung gab er Namen, denen er besondere Kraft zuschrieb. Urtümlich mutet auch sein Nomadentum an: Dieser Unbehauste hat sein ganzes erwachsenes Leben lang in fremden Häusern gelebt, immer bereit, zu wechseln, immer auf dem Sprung. »Es ist die Zeit der Zelte« – zu seinen Lebzeiten galt das nur für ihn.

*

Der starke Gegenpol war in ihm das »Apollinische«, so wie es Nietzsche verstanden wissen wollte. Von vornherein waren in ihm angelegt der Sinn für Maß, Form, für Helle und Klarheit, für das schöne Diesseits gegen alles Verworrene, Dunkle, Maßlose. Er stärkte dieses sein Vermögen mit allen Kräften, um des Furchtbaren in sich Herr zu werden.

Lange war das Mittelmeer seine geistige Heimat, und immer waren die Griechen seine Kraftquelle. So wie für Thomas von Aquin die Griechen Aristoteles waren, für Winckelmann der verwirklichte Traum von edler Einfalt und stiller Größe, für Schiller Homer und seine Götter, so waren es für George die Tragiker und Plato, aber auch hier nur »sein« Plato, der des Gastmahls.

Von den Griechen ließ sich George bestätigen, daß es der Auftrag des Menschen sei, sich im Diesseits zu erfüllen; von den Griechen auch die Verherrlichung des Leibes. Im Gespräch: »Es hängt alles daran, daß man heidnisch ist. Daß man nicht vom Sinnlichen absieht, um das Göttliche zu erfassen, sondern das Göttliche im Sinnlichen sieht.« Die Verherrlichung des Leibes bei George hat zu verständlichen Mißverständnissen geführt. Dieser eigenwillige Platoniker sagt: »Leib · Seele sind nur worte wechselnder wirklichkeit.« Er macht es anschaulich im Gedicht:

Unlängst erzähltest du vom früheren freund:
Sein helles aug ward matt · sein mund der blühte
Ward saftlos · enge ward die hohe stirn..
Ich weiß nicht ob du Leib, ob Seele maltest.

Ein so angelegter Mann konnte kein Christ sein. Er stand nicht gegen das Christentum; es ging ihn nichts an. Zu Ernst Robert Curtius: »Einen unmittelbaren Zugang zu Gott gibt es nicht.« George kannte die Sünde nicht, er bedurfte also nicht der Gnade. Jesus aber war ihm immer nahe, als höchster Mensch, als göttlicher Mensch, Mensch-Gott, als bestimmende Gestalt für eine »Ewe«, eine bestimmte, eingrenzbare Weltzeit.

Stefan George glaubte, die Welt lebe aus dem numen absconditum. Das ist das Apeiron des Anaximander, das esse purum et simplex Eckarts, das »Ungesonderte« bei Ernst Jünger.

»Eins das von je war (keiner kennt es) währet«.
Oder: »Wes wahr geschöpf du bist, erfährst du nie«.
Oder: »Die tiefste wurzel ruht in ewiger nacht«.

Dieses Unbekannte, ewig Ruhende, ist unendlich fern, unbenennbar, und in das Vakuum, das zwischen diesem Fernen und den Menschen liegt, strömen Mächte ein, Götter, aber nicht vom Absconditum her, sondern als Emanationen des Menschen; sie sind zwar göttlich, aber sie vergehen, wenn eine neue Weltzeit anbricht, wie bei den frühen Griechen, wie bei den Germanen. George: »Es wird das Schwerste für die Menschen sein zu glauben, daß die göttlichen Mächte ewig sind, aber die Götter sterben können, und nur so lange leben, als der Mensch den lebendigen Glauben an sie in sich trägt und Kraft hat, in ihnen das Ewige zu sehen.«

George hat um die Jahrhundertwende die Heraufkunft eines neuen Gottes geahnt, er hat sie ersehnt, er hat darauf zugelebt. Mit den Gedichtbänden »Das Jahr der Seele« und »Der Teppich des Lebens«, noch im alten Jahrhundert erschienen, hat er die Höhe seiner Möglichkeiten als Dichter erreicht, aber er sah in einer verkommenen Zeit, nun Anfang seiner Dreißig, keine Zukunft.

Im Jahre 1902 begegnete George auf der Straße einem anmutigen Jungen, dem noch nicht vierzehnjährigen Maximilian Kronberger. Er sprach ihn an, langsam entwickelte sich eine distanzierte Freundschaft, George nahm Anteil an seinem Leben, er ermunterte ihn zu fleißiger Arbeit, verkehrte bei seinen Eltern, begleitete seine überaus begabten dichterischen Versuche – der geborene Erzieher George hatte, nach Gundolf, einen frischen, bescheidenen, vieles versprechenden jungen Menschen gefunden. Wie vorher an Gundolf, so hat er auch an ihn einige Gedichte gerichtet, werbend um den werdenden Jünger. Mehr nicht. Kaum sechzehn geworden, starb Maximilian. Erst nach diesem Tod erzwang sich Georges leidenschaftlich wollende Seele aus der Erinnerung die Epiphanie des neuen Gottes, es war ein Erweckungserlebnis, mystische Verzückung.

In den überlieferten Gesprächen ist nichts davon gesagt. Wir wissen, was in seinen Gedichten steht und in seiner »Vorrede zu Maximin«; mehr sollten wir nicht wissen wollen. Die meisten seiner Freunde waren ratlos. Bei den Bekenntnissen derer, die seinen Glauben mitzuglauben vorgaben, wird einem nicht wohl.

George lebt mit Maximin in einer Dimension, die uns nicht erreichbar ist. Es wäre ein nur ihn Angehendes, wenn er, der überwältigte Dichter, nicht die zweite Hälfte seines Lebens unter diesen Stern gestellt hätte und wenn seine Dichtung nicht in eine neue Dimension gewachsen wäre. Der mittlere von den sieben Teilen des Buches »Der Siebente Ring«, man kann sagen die Mitte des Georgeschen Werkes, trägt die Überschrift »Maximin«. Es setzt ein mit dem Bekenntnis:

> Dem bist du kind · dem freund.
> Ich seh in dir den Gott
> Den schauernd ich erkannt
> Dem meine andacht gilt.

Ich seh in dir den Gott. Ich. George hat nie daran gedacht, Stifter einer Religion zu sein. Das gilt auch, wenn man ihn den Freunden zurufen hört:

> Preist eure stadt die einen Gott geboren!
> Preist eure zeit in der ein Gott gelebt!

Ich seh in dir *den* Gott. Nicht Gott. Es ist eine Erfahrnis, die manchen Menschen zuteil wurde, das zum Traum, dann zur Vision eines Gottes gewordene Bild eines jungen Menschen. In George, der eine starke Bindung auch an das späte Rom hatte, dürfte die Erinnerung an Kaiser Hadrian lebendig gewesen sein, der einen jungen Menschen zum Gott erhob, erst recht an Dantes Beatrice, die, wie Maximin, so jung war, daß ihr nicht die physisch ergänzte, sondern die überge-schlechtliche Liebe, ein Leitwort Georges, gegolten hat.
Dieser Gott, mit der ihm zugemessenen Weltzeit entste-hend, mit ihr untergehend, ist zunächst vom Dichter verkün-det:

> …In jeder ewe
> Ist nur ein gott und einer nur sein künder.

Mehr als das: er ist vom Dichter geschaffen.

> Riss ich nicht ins enge leben
> Durch die stärke meiner liebe
> Einen stern aus seiner bahn?

Und dann:

> Ergeben steh ich vor des rätsels macht
> Wie er mein kind ich meines kindes kind…

Das ist reine Mystik, deutsche Mystik. Angelus Silesius sagt es so:

> Ich bin Gottes Kind und Sohn er wieder ist mein Kind
> Wie gehet es doch zu, daß beide beides sind?

Mystik ist der Glaube an die unerhörte Kraft der Seele, die Gott (bei Angelus Silesius), die den Gott (bei George) gebiert. Wenn Menschen von solchem Lebensernst das in sich erfahren, sollte man es nicht als Hybris verwerfen.

*

Durch das, was er in und durch Maximin erfahren hat, bekam, was in ihm angelegt war, Gestalt, sein Wille ein Ziel.

Die Erneuerung einer Welt, die schon Nietzsche als verrottet sah, ja die Rettung dieser Welt durch den Geist, wie er sich im Gedicht offenbart, mit Hilfe einer Gruppe auserlesener Menschen, im Glauben an erweckbare Kräfte der Deutschen — das war Stefan Georges Vision. Zumindest war es das im Ansatz, im Jahrzehnt vor dem ersten Krieg; später —George war früh gealtert und durch ein schweres Leiden gezeichnet — kann man Rücknahmen des gewaltigen Anspruchs, auch Untertöne der Resignation hören.

Daß er sich so radikal für Deutschland entschied, muß überraschen. Er war ursprünglich Europäer, er bekannte sich zu dem gemeinsamen Erbe, aber in zunehmendem Maße gehörten sein Glaube, seine Liebe, seine Hoffnung dem Land, in dessen Sprache er lebte. Ein Nationalist? Ein Patriot? Man kommt nicht zurecht, wenn man diesen Mann mit solchen Vokabeln koppelt. Es ging ihm um das Ganze, und innerhalb dieses Ganzen sah er Frankreich, erst recht die Mittelmeerländer, verbraucht, die Engländer mit ihrem Imperialismus beschäftigt, Rußland »ein volk aus kind und greis«, Amerika nicht entfaltbar. In Deutschland allein sah er Reserven, die in den zwar weithin verdorbenen Oberschichten und durch sie hindurch aus dem intakten Volkskern zu erschließen seien; ein deutscher Traum, der damals, vor Hitler, wie jeder Traum einen Hintergrund von Wahrheit hatte. Wie fern allem gängigen Nationalismus er war, zeigt sein Verhalten im August 1914 und während des ganzen Krieges. Er hatte in der Verzweiflung über den Zerfall des Gesamten, nicht nur Deutschlands, furchtbar gerufen, vor 1914:

> Ihr baut verbrechende an mass und grenze:
> »Was hoch ist kann auch höher!« doch kein fund
> Kein stütz und flick mehr dient... es wankt der bau.
> Und an der weisheit end ruft ihr zum himmel:
> »Was tun eh wir im eignen schutt ersticken
> Eh eignes spukgebild das hirn uns zehrt?«
> Der lacht: zu spät für stillstand und arznei!
> Zehntausend muß der heilige wahnsinn schlagen
> Zehntausend muß die heilige seuche raffen
> Zehntausende der heilige krieg.

Nun, 1914, sahen alle, erst recht alle Dichter, den großen nationalen Aufbruch, und sie versäumten nicht, ihn zu besingen, ihn und den Krieg. Das taten auch Georges Freunde, aber darüber hinaus sahen sie vor sich die große Erneuerung durch den verkündeten »heiligen Krieg«. Da muß es eine schlimme Ernüchterung gewesen sein, als Briefe ankamen wie dieser, August 1914: »...Ich rufe Euch zu: – Das Schwierigste kommt *erst hintennach!!*« Das heißt: verlieren wir den Krieg, wird es entsetzlich, gewinnen wir ihn, dann ist diese Führung mit dem verächtlichen Kaiser unfähig, sich des Sieges würdig zu erweisen. In seinen Worten, auch in einem Brief aus dem Jahr 1914: »Der Welt, die erst kommen soll und die den wirklichen Feind und Widerdämon besiegen soll — der Welt gehört heut noch keiner an, der den Mund aufmacht.« Georges Deutschland war ein Deutschland, das es nie gab, und nie geben wird.

So lästig es ist: die Frage muß beantwortet werden, ob der Mann, der in einem Gedicht, 1920, gehofft hat, »daß einst des Erdteils Herz die Welt erretten soll«, ein Vorbereiter des Nationalsozialismus gewesen ist. Die Antwort kann nur sein: selbstverständlich war er das. Man versteht diese »Bewegung« nur, wenn man sieht, daß sie keine Idee hatte, aus nichts Eigenem lebte, daß sie vielmehr ein Schwamm war, der alles aufsog, was an Ideen sich anbot oder an Wünschbarkeiten in der Luft lag. Allenfalls das Rassengewese ist zwar nicht erfunden, aber mit böser Leidenschaft hypertrophiert worden. Der Schwamm nahm auf, Gutes und Schlechtes; mehr Gutes als Schlechtes, sonst hätten sie am Anfang nicht solche Erfolge gehabt. Luther, Rousseau, Kant, Fichte, Hegel, Nietzsche (unbegreiflicherweise auch Wagner, den Sänger von Untergang, Tod, Erlösung), die preußischen Tugenden, die Jugendbewegung, Georges geheimes

114

Deutschland —ein Schwamm, und als Hitler ihn ausdrückte, kam Jauche heraus.

Auf George bezogen sei das an einem Beispiel gezeigt:

> Neuen adel den ihr suchet
> Führt nicht her von schild und krone!
> Aller stufen halter tragen
> Gleich den feilen blick der sinne
> Gleich den rohen blick der spähe ...
> Stammlos wachsen im gewühle
> Seltne sprossen eignen ranges
> Und ihr kennt die mitgeburten
> An der augen wahrer glut.

Das heißt doch, daß mit den anderen führenden Schichten auch der Adel zersetzt ist, daß die Erneuerung nur aus der Substanz des Volkes kommen kann. Wohl kein großes Gedicht, aber gewiß auch kein unreines. Nach 1933 stand es in jedem Lesebuch. In der Nachbarschaft, in der es sich dort vorfand, verlor es seine Reinheit, der »hohe Ton« wurde hohl und roh, es gehörte nicht mehr zu ihm, sondern zu denen.

*

Das andere, nach der Hinwendung zu seinem Land, ist die Formierung einer Gruppe; es war der »Kreis«, später intern »der Staat«. In den drei Gedichtbänden, die noch erschienen, »Der Siebente Ring«, 1907, »Der Stern des Bundes«, 1914, »Das Neue Reich«, 1928, spricht er immer auch, oft in erster Linie, zu diesen Freunden und Jüngern. Von den Gleichaltrigen, meist Ausländern, löste er sich, außer von Karl Wolfskehl, dann sammelte er eine kleine Gruppe von Hochbefähigten um sich, später kamen Jüngere hinzu, die »Enkel«. Was er vor Augen sah, hat er schon früh, dreißigjährig, in

115

den »Blättern für die Kunst«, zusammen mit Wolfskehl, so gesagt:

»Dass ein strahl von Hellas auf uns fiel: dass unsre jugend jezt das leben nicht mehr niedrig sondern glühend anzusehen beginnt: dass sie im leiblichen und geistigen nach schönen maassen sucht: dass sie von der schwärmerei für seichte allgemeine bildung und beglückung sich ebenso gelöst hat als von verjährter lanzknechtischer barbarei: dass sie die steife gradheit sowie das geduckte lastentragende der umlebenden als hässlich vermeidet und freien hauptes schön durch das leben schreiten will: dass sie schliesslich auch ihr volkstum gross und nicht im beschränkten sinne eines stammes auffasst: darin finde man den umschwung des deutschen wesens bei der jahrhundertwende.«

Man versuche, sich vorzustellen, heute, achtzig Jahre später, lasse einer so etwas drucken.

Ganz eigener Art ist dieser »Kreis«, ohne Vorgang: »Eine durch Absolutismus gemilderte Demokratie« — man ist etwas ratlos, denn es läßt sich kein Deut Demokratie finden. Es ist ein weltlicher Orden mit einem Fürstabt, ohne Regel (man nehme denn den »Stern des Bundes« als solche), ohne irgend etwas Zusammenhaltendes außer dem einen herrscherlichen Willen.

Es war ein Männerbund. George war auf Männer bezogen, in einer stolzen, ganz freien Weise. Im Gespräch: »Freundschaft unter Männern muß erzieherisch sein und tragisch. Sonst ist sie widerlich.« Frauen konnten dem Kreis, dem »Staat« nicht angehören, aber ironischerweise hatte George zu vielen Frauen, besonders zu den Ehefrauen einiger »Staatsstützen«, also seiner getreuen Freunde, ein gutes, oft herzliches Verhältnis. Emanzipation war ihm ein Greuel, ihm war die Polarisation der Geschlechter —das »weiblich-chthonische« hier, das »männlich-geistige« da — fundamentale Gegebenheit.

Von dem »machthungrigen, keltischen Gewaltmenschen, der sich die Seelen zurechtwarf wie das Tier die gelähmte Beute«, spricht Rudolf Borchardt, sprachmächtig und bildkräftig. War es so? Es gibt Beispiele, daß George Menschen, die er gewinnen wollte, magisch in seinen Kreis zwang, aber das ist die Ausnahme. In aller Regel war es so, daß er sorgfältig prüfen ließ und prüfte, ob ein junger Mensch die Voraussetzungen mitbringe, wobei ihm »Seinshöhe« und Charakter wichtiger waren als Intelligenz oder gar literarische Bildung. Es mußte ein Fundus da sein, Anmut und gerader Wuchs Leibes und der Seele gehörten dazu. Kam dann ein Gespräch zustande und wurde der junge Mensch angenommen, ging er behutsam vor, er »erzog« nicht, sondern er führte, er ordnete niemals an, sondern entfaltete, was vorhanden war, er half nach, gelegentlich durch leichten Spott, lenkte im Gespräch zu mehreren vom Unwichtigen ab auf das Wesentliche zu — »sokratisch«, das kommt am häufigsten in den Berichten vor.

Wenn ein Mensch von seiner Kraft erzieht, und sei es noch so zurückhaltend, dann geht viel über auf den Jüngeren, auch solches, das nur beim Meister stimmig ist. George mochte ein Recht haben, die Musik als Verfallserscheinung, den Roman als unzureichendes Kunstmittel zu verwerfen —die Schüler hatten dieses Recht nicht, es sei denn, sie dichteten wie George, und das wollte nicht gelingen.

Dafür dichteten sie in Prosa. Was bei Georges Gedichten der »hohe Ton« ist, wurde in ihren Büchern zu überhöhtem Ton, es ist eine damals schon schwer, heute nicht mehr erträgliche dithyrambische Steigerung der sprachlichen Mittel. Es benimmt dem Leser den Atem, wenn er sich ständig in solch sprachlicher Höhenluft bewegen muß; er wird sprachkrank, wie der Wanderer bergkrank wird. Es ist schwer zu verstehen, daß George, der wenig Prosa veröffentlichte – die aber ist stark, dicht, angemessen in der Tonhöhe – diese Entfesselungen zugelassen, vielleicht gefördert hat.

Wer sich halten konnte, wer gar in den engeren Kreis kam – dieser war immer klein, mehr als zwölf sollten es keinesfalls sein – der war etwas, wenn nicht der homme complet, der καλὸς κἀγαθός, der George vorschwebte und der er selbst war, so doch eigenen Zuschnitts, bei aller jede Kritik ausschließenden Ergebenheit, im eigenen Umkreis selbständig, tüchtig, intensiv. Den größten Wert legte George darauf, daß jeder einen bürgerlichen Beruf habe und daß er darin seinen Mann stehe. Der Jurist war vertreten, Richter und Anwalt, der Arzt, Historiker, Nationalökonom, Literaturwissenschaftler. Einem von den Jüngeren, der ihm besonders am Herzen lag, verbot er solange den Zutritt, bis er seine Habilitationsschrift geschrieben habe. Wenn Max Weber von den »Rentnerexistenzen des George-Kreises« spricht, so ist das, ich wähle das mildestmögliche Wort, unfair. Er wußte es besser.

In diesem »kreis, den liebe schließt« war Distanz geradezu Gesetz. Man sagte, mit wenigen Ausnahmen, »Sie« zueinander, Gespräche über Privates waren nicht erlaubt, man kannte nur die Vornamen oder die von George verliehenen magisch aufgeladenen Sondernamen; es gab, wieder mit Ausnahmen, nur die Beziehung zum Meister.

Trotzdem müssen die Zusammenkünfte unvergleichlich gewesen sein. Es gab das Lesen von Gedichten, und das war ein kultischer Vorgang; es gab das Gespräch. Das Gedicht

118

war ihnen das Höchsterreichbare für Menschen, Erfüllung. An solchen Abenden herrschte äußerste Sammlung, gesprochen wurde in einer von George selber vollendet beherrschten rhythmisch-psalmodierenden Weise. »Es ist das Ganze«, sagt einer, »seine Gestalt, sein Haupt, die Stimme, das Wunder seines Wesens, was jeden den Atem anhalten läßt, wenn er liest.« Gelesen wurden nur Gedichte des höchsten Ranges. War es zu Ende, ging man, schweigend.

Die Gespräche, bei einfachem Mahl und leichtem Wein, waren ernst und heiter, so gelöst wie eben möglich bei einem übermächtigen Symposiarchen. Man sprach über »der Menschheit große Gegenstände«, gerne auch über außerordentliche Menschen. Es gehörte zu George und den Seinen, daß der große Einzelne, Dichter oder Täter, weit hinausgehoben wurde, in die Nähe des Göttlichen; da ist zuviel des Guten geschehen.

Es versteht sich, daß es in einer nicht verfaßten Gruppe zu intensiven Konflikten kam, es gab Eifersucht, insbesondere um die Nähe zum Meister, es gab Feindschaften, und selbstverständlich war mit dem Tag von Georges Tod alles zu Ende.

Worum ging es George, worum ging es den Seinen? Um »das schöne Leben«, also das erfüllte Leben. George: »Der Sinn unseres Staates aber ist dieser, daß für eine vielleicht nur kurze Zeit ein Gebilde da sei, das, aus einer bestimmten Gesinnung hervorgegangen, eine gewisse Höhe des Menschentums gewährleistet. Auch dies ist dann ein ewiger Augenblick wie der griechische.«

Darüber hinaus war Georges Hoffnung, daß die Menschen, die er geprägt hatte, das Erfahrene in ihrem Umkreis weitergeben, daß seine Jünger ihrerseits einen Kreis bildeten, in dem große alte Worte, mit Sinn erfüllt, gelebt werden: Eros

119

(George: »Die weltschaffende Macht der übergeschlechtlichen Liebe«), so, wie Sokrates die Diotima sprechen läßt; Logos (George: »Der Geist«); Nomos (George: »Das Maß«). Ansätze gab es. Dann kam 1933.
Es soll nichts unterdrückt werden. Schwer zu ertragen war das elitäre Selbstbewußtsein bei Einigen, und ganz unausstehlich war das bei denen, die gar nicht unmittelbar auf George bezogen waren, den Schülern seiner Jünger. Es ist das Problem aller Eliten, daß sie nicht elitär sein dürfen.

*

Eine urtümliche Kraft, die Verwerfung alles Bestehenden, der mächtige Wille, sein Volk ins Gute zu reißen, es zum Vorbild zu machen – das muß ein Täter sein, ein Empörer, ein Revolutionär. So hat auch Ludwig Klages, lange sein Freund, noch länger sein Feind, Gründer der modernen Graphologie, aus seiner Schrift als »Grundformel« herausgelesen: »Eine ins Künstlerische geratene, um nicht zu sagen entgleiste, Täternatur.« Warum ins Künstlerische »entgleist«? Klages hätte hinzufügen können, was die Schrift sicher auch hergegeben hat, aber er war schon im Stande des Hasses: daß diese Täternatur auch scheu war, empfindsam, ausgeliefert – der Tod eines Freundes, der Verrat eines anderen konnte ihn für Wochen, für Monate niederwerfen, er war, ein Dichter, extrem auch im Leiden. Dieser Mann, der nie von sich gesprochen hat, hat einmal etwas von sich freigegeben, in einem Brief an eine Freundin: »...Soll ich Ihnen noch einmal schriftlich endgültig bestätigen, was Sie lange wissen? Warum soll ich meinen freunden von den gefährlichen abgründen berichten die alle meine fahrten begleiten? – und gerade von den letzten besonders furchtbaren – indessen sie die freunde nichts können als in mitleidiger ferne hilflos dastehen... Gibt es für trostlosigkeiten überhaupt ein ande-

120

res vorm schlimmsten rettendes als daß niemand sie weiß? – Ich kann mein leben nicht leben es sei denn in der vollkommensten äußeren oberherrlichkeit. Was ich darum streite und leide und blute dient keinem zu wissen. Aber alles geschieht ja auch für die freunde. Mich so zu sehen wie sie mich sehen ist ihr stärkster lebenstrost. So streit und duld und schweig ich für sie mit. Ich gehe immer und immer an den äußersten rändern – was ich hergebe ist das letzte mögliche … auch wo keiner es ahnt …«

Das ist nicht das Holz, aus dem der Weltgeist seine Täter schnitzt. Gesucht hat George den Täter, leidenschaftlich, »den einzigen der hilft, den mann«. Es gab ihn, er kam von George, und was wurde, war grauenhaft: Claus Graf Stauffenberg war der geborene Täter, mit allen Gaben ausgestattet, wie aus den Träumen Georges ans Licht getreten, aber seine Tat konnte nur noch sein, den anderen Täter zu töten. Und selbst das ist ihm verwehrt worden.

*

Ein Machtmensch, ganz Wille, mit magischen Kräften, des Hasses fähig bis zur Grausamkeit; ein Dichter, ein Liebender, empfindsam, leidend – wie ist das möglich, daß ein Mensch, zwischen solche Extreme gespannt, nicht unterging, ja daß er ein vorbildliches, viele zu ihrer eigenen Höhe bringendes Leben geführt hat? Man wird ihn und sein Werk nur verstehen, wenn man das Prinzip erkennt, unter das er sich gestellt hat: die Form. Für ihn war lebensrettend, daß Leidenschaft zur Form, Fähigkeit zur Form in ihm angelegt waren, und daß diese Fähigkeit in seiner bildsamsten Zeit in Paris sich gefestigt hat.

Form ist ein principium, und das heißt: Anfang, Ursprung, Grundstoff. »Für George gilt:«, wie Gottfried Benn es gesagt hat, »Die Form ist Schöpfung; Prinzip, Voraussetzung, tiefstes

Wesen der Schöpfung; Form schafft Schöpfung.« Gilt das nur für George? Es gilt oder sollte gelten für jeden Dichter, es gilt für alle Kunst, es gilt überhaupt, für das Recht etwa, für den Staat; ein in der Form vollendetes Gesetzeswerk schafft besseres Recht durch die Form, eine ausgeformte »schöne« Verfassung schafft besseren Staat. Form ist Schöpfung. Formen ist zugleich eine ästhetische und eine sittliche Tat. Das Symbol für Form ist die Kugel, mit der unbewegbar ruhenden Mitte.

In aller Kunst ist Form immer in Gefahr, zu erstarren, in Formalismus, in leere Gebärde. Zu großen Formen gehört ein Element der Freiheit, Form muß belebt sein vom freien Geist des Formenden; tote Form kann immer noch schön sein, aber es fehlt das nicht Auszurechnende. Es gibt nicht wenig Gedichte von George, denen man den Kampf um die Form anmerkt, man spürt noch die Anstrengung. In seinen (und aller Dichter) vollkommenen Gebilden aber ist das Chaos von Gedanken, Wörtern, Ausdrucksmöglichkeiten zur reinen Schönheit gebändigt. Große Form ist Gesetz, dem man die Freiheit nicht ansieht, die es zuläßt.

Wem Form principium ist, der kann nicht trennen zwischen dichten und leben. Er stellt sich und die Menschen, die ihm vertrauen, unter das Gesetz der Form. Dieses Gesetz ist einmal das durch Norm und Sitte Vorgegebene, in das es sich einzupassen gilt; zum anderen, seinem eigenen Gesetz gehorsam zu sein. Beides in Harmonie zu bringen, ist eine Existenzfrage für jeden, der jenseits des Gewöhnlichen geboren ist. Wir wissen, wie sauer es Goethe geworden ist.

Stefan George, bei seiner extremen Natur auf Tod und Leben darauf angewiesen, zunächst ein Formgerüst zu schaffen, hat dies in erster Linie in seinem Lebensstoff, dem Gedicht, geleistet. Aber auch frühzeitig als Person. In seiner Jugend war die ihm angemessene Lebensform der Dandy, eine vermutlich nicht ganz gelungene Kopie dieser Spätform, mit Zylinder, mit Monokel; es verbot sich ihm, in das ausgeleierte, öde formalisierte und nie recht glaubhafte System der damaligen Bourgeoisie einzutreten, oder in die Bohème, deren Protest gegen das Vorgefundene in seiner Uniform nur schlechter Stil war. Später suchte er seine Form in äußerster Stilisierung, hochmütiger, abweisender Attitude, als pure Arroganz empfunden – er war so, wie man ihn heute noch vielfach sieht. Verhältnismäßig früh, er war noch lange nicht vierzig, war er, in seinem privaten Leben, »in Form«, vornehm und bescheiden, ganz unprätentiös. Er war Gast in vielen Häusern seiner Freunde, angenehm, praktisch, hilfsbereit, zufrieden mit seinen zwei Stoffkoffern, den kleinen Freuden zugetan, dabei stets seiner absoluten Autorität sicher und in dieser bedingungslos anerkannt.

Er soll das letzte Wort haben zum Thema Form in Kunst und Leben:

»Wir haben an dieser stelle häufig dargetan dass der für den Schaffenden selbstverständliche leitspruch ›die Kunst für die Kunst‹ auch vom betrachtenden aus nicht etwa auf eine ausschliessliche übung in gewaltstückchen der werkstatt und in schmuckhaften wortmosaiken zweckte · was eine verkennung der mittel bewiese · sondern noch eine andere bedeutung in sich schloss. Diese äusserste sorge bei der feilung der gefüge · dieses ringen nach der höchsten formalen vollendung im werke · diese liebe für das Runde · das in sich vollkommene · das nach allen seiten hin richtige · diese ablehnung des nur triebhaften skizzenhaften nicht-ganz-gekonnten · des halb überschüssigen halb unzulänglichen · das so lange ein fehler heimischer leistung war: diese liebe und diese ablehnung setzen mehr voraus als eine formel – näm-

123

lich eine geistige haltung ja eine lebensführung. Wenn eine ganze gruppe von deutschen menschen · ob auch in beschränkter zahl und auf beschränktem gebiet · jahrzehnte hindurch trotz aller anfeindungen und misskennungen in diesem sinne spricht und handelt · ja ihr höchstes bestreben sieht · so kann daraus für die gesamte bildung und für das gesamte leben mehr wirkung ausströmen als aus einer noch so staunenswerten sachlichen entdeckung oder einer neuen ›weltanschauung‹.«

Form ist Sittlichkeit. Form schafft Menschen. Ein geformter Mensch, ein Mensch in Form, schafft Formen. Wenn die Menschen, die zur Führung berufen sind, Form haben, in Form sind, dann schaffen sie das geformte Gemeinwesen, sie geben ihm Formen, sie bringen es in Form. Kein Staatswesen ist so in Gefahr, außer Form zu geraten, wie die Demokratie. Wenn die Formen, die sie sich geschaffen hat, und in denen sie lebt, zerfallen, weil sie vergißt, daß Form ein ethisches Postulat ist, werden die zentrifugalen, die ungeformten und deshalb unsittlichen Kräfte obsiegen. Es ist eine Frage von Gedeih und Verderb, ob Form, aller Natur mitgegeben, den Menschen gestellt als Aufgabe, bekannt, erstrebt, geleistet wird. – Wir sprechen immer noch von Stefan George. Er hat, unter diesen Voraussetzungen, nichts gegen Demokratie gehabt, jedenfalls nicht mehr als gegen die Scheinform dessen, was in Deutschland vorhergegangen war.

Es ist, fünfzig Jahre nach seinem Tod, nicht schwer, das Scheitern des so Hochgemut-Gewollten festzustellen. Es war auch damals nicht schwer, das Scheitern vorherzusagen. In Deutschland, in dem man nun darauf verzichtet hat, eine geistige Kultur auch nur anzustreben, ist Stefan George vergessen.

Doch einzelne gibt es noch, die diesem Dichter dankbar sein

werden, daß er für eine Weile die gedichtete Sprache geret-
tet, daß er wieder Dichtung, gediegene Leistung ermöglicht
hat. Sie werden auch, von ihm geführt, nachdenken über
Form, in Kunst und Leben.

Ernst Klett

INHALT

127